# O HERÓI

Biblioteca
**Psicologia e Mito**

LUTZ MÜLLER

# O HERÓI

A Verdadeira Jornada do Herói e
o Caminho da Individuação

*Tradução*
Erlon José Paschoal

**Editora Cultrix**
SÃO PAULO

Título do original: *Der Held – Jeder ist Dazu Geboren.*

Copyright © Kreuz Verlag AG Zurique 1987.

Copyright da edição brasileria © 1992 Editora Pensamento-Cultrix Ltda.

1ª edição 1992.

2ª edição 2017. / 2ª reimpressão 2022.

Texto de acordo com as novas regras ortográficas da língua portuguesa.

Todos os direitos reservados. Nenhuma parte desta obra pode ser reproduzida ou usada de qualquer forma ou por qualquer meio, eletrônico ou mecânico, inclusive fotocópias, gravações ou sistema de armazenamento em banco de dados, sem permissão por escrito, exceto nos casos de trechos curtos citados em resenhas críticas ou artigos de revistas.

A Editora Cultrix não se responsabiliza por eventuais mudanças ocorridas nos endereços convencionais ou eletrônicos citados neste livro.

**Editor:** Adilson Silva Ramachandra
**Editora de texto:** Denise de Carvalho Rocha
**Gerente editorial:** Roseli de S. Ferraz
**Produção editorial:** Indiara Faria Kayo
**Editoração eletrônica:** Join Bureau
**Revisão:** Bárbara Parente

**Dados Internacionais de Catalogação na Publicação (CIP)**
**(Câmara Brasileira do Livro, SP, Brasil)**

---

Müller, Lutz
    O herói: a verdadeira jornada do herói e o caminho da individuação / Lutz Müller; tradução Erlon José Paschoal. – 2. ed. – São Paulo: Editora Cultrix, 2017. (Biblioteca psicologia e mito)

    Título original: Der Held – Jeder ist Dazu Geboren
    Inclui bibliografia
    ISBN: 978-85-316-1385-2

    1. Mitologia 2. Psicanálise 3. Psicologia I. Paschoal, Erlon José II. Título III. Série.

17-01168                                        CDD-201.3

**Índices para catálogo sistemático:**
1. Mitologia: Aspectos psicológicos    201.3

---

Direitos de tradução para a língua portuguesa adquiridos com exclusividade pela EDITORA PENSAMENTO-CULTRIX LTDA., que se reserva a propriedade literária desta tradução.
Rua Dr. Mário Vicente, 368 — 04270-000 — São Paulo, SP
Fone: (11) 2066-9000
http://www.editoracultrix.com.br
E-mail: atendimento@editoracultrix.com.br
Foi feito o depósito legal.

# SUMÁRIO

O herói: todos nascemos para ser heróis ..................... 7

O caminho é a meta ..................... 15

O drama da criança heroica ..................... 25

As armas do herói: saber, ousar, querer, calar ............. 35

O milagre da espada ..................... 49

A arte do manejo do escudo ..................... 59

Encontrar a força animal ..................... 73

O herói e o seu perigoso irmão-sombra ..................... 83

A luta com o dragão: o confronto com o medo ............ 97

Nascidos duas vezes ..................... 109

A libertação do prisioneiro e a vida criativa ................. 121

Notas ..................... 139

Bibliografia ..................... 141

# O HERÓI:

## todos nascemos para ser heróis

*Encontro-me numa região montanhosa desconhecida, em pé no mais alto degrau de uma escada que leva a um abismo infinito. Uso uma roupa branca e larga. De qualquer maneira, devo primeiro me lavar e me 'purificar'. Junto a mim está uma mulher também vestida de branco, que me acompanhará na descida. Vou ser executada. Sinto-me entorpecida; por um momento choro desesperada. Depois me recomponho e pergunto a mim mesma, desamparada, como vou percorrer esse caminho. A mulher diz que serei decapitada e esquartejada. Tenho diante dos olhos a imagem de como essas partes esquartejadas se separam de mim e voltam a se juntar como se fossem atraídas por um ponto central. Então percorro o caminho com a impressão de que muitas pessoas antes de mim já o haviam percorrido.*

Esse é o sonho de uma mulher de 30 anos na fase inicial do processo de busca de si mesma. O caminho que no sonho lhe dá a impressão de já ter sido percorrido antes por muitas outras pessoas é aquele antigo caminho que as pessoas sempre tinham de percorrer quando queriam mudar a si mesmas e ao mundo. É o caminho da individuação e da vida criativa; é o caminho da mudança, que através da morte leva a uma nova vida; é o caminho do herói e da heroína.

O drama da pessoa heroica, que tem coragem para vencer todas as adversidades e medos, apesar dos perigos, para penetrar em esferas até então desconhecidas e ganhar novos conhecimentos, fascinou os homens de todas as culturas e de todas as épocas como nenhum outro tema. Quer nos antigos mitos, sagas e contos de fadas, quer na literatura e nos filmes atuais, na religião, nas artes plásticas, na história, na política, na ciência: o ser humano que se arrisca no novo, no desconhecido e no extraordinário é sempre o interesse principal.

Evidentemente, ele representa as grandes esperanças e os profundos anseios da humanidade.

O herói nos fascina tanto porque pura e simplesmente ele personifica o desejo e a figura ideal do ser humano. Ele defende a nossa causa e por isso nos identificamos com ele. Reencontramo-nos nos seus medos e sofrimentos, nos seus combates, vitórias e derrotas, na sua luta pela sobrevivência. Ele é o nosso consolo nos tempos difíceis e nos dá esperanças de que, apesar de tudo, podemos conseguir algo, de que não estamos entregues a um destino cego, ainda que tudo pareça em vão. Ele também nos serve de modelo. Quase sempre mostra-nos virtudes e valores humanos mais maduros, como por exemplo a coragem civil e o desinteressado engajamento social e, dessa maneira, cumpre uma tarefa social muito importante. Nossa identificação com ele encoraja-nos a conservar esses valores, mesmo quando não vemos mais esperança e preferiríamos nos resignar.

Há pouco vi na rua um jovem herói "cavalgando". Um jovem de uns 10 anos caçava com as mãos livres, montado na sua bicicleta, ao longo do passeio, e fazia movimentos de montaria sobre o selim. Na mão esquerda segurava um escudo imaginário e com a direita enfiava exasperado uma espada imaginária num adversário também imaginário – provavelmente, tratava-se de uma daquelas maravilhosas espadas mágicas que o tornava invencível. Para isso, ele produzia os respectivos sons de combate, imitando o tinir das espadas, os gemidos de força e os gritos de dor. Estava tão envolvido na sua luta heroica que nem percebia as outras pessoas à sua volta.

Quando o vi, tive de rir. Ele me lembrou minhas brincadeiras e fantasias de batalhas heroicas, nas quais na minha infância e adolescência – e, ainda hoje, de forma sublimada – abria caminho com a espada em punho: como eu sempre aparecia no último minuto no local da luta, envolto pelos toques da fanfarra e por uma luz brilhante, graças às minhas forças e habilidades em tudo dominar, mudava as coisas para melhor, e o júbilo das pessoas não conhecia fronteiras. Sei também o quanto tinha necessidade dessa luta heroica, o quanto precisava dela para superar meus medos, suportar e compensar minhas mágoas e humilhações e conter a minha raiva. Se já não existisse a imagem do herói vencedor, eu a teria inventado.

O herói representa, portanto, o modelo do homem criativo, que tem coragem para ser fiel a si mesmo, aos seus desejos, fantasias e às suas próprias concepções de valor. Ele se atreve a viver a vida, em vez de fugir dela.

Ele supera o profundo medo diante do estranho, do desconhecido e do novo. Trilha caminhos que, por um lado, tememos, mas que, por outro, percorreríamos prazerosamente em segredo: caminhos em esferas ocultas e proibidas do ser de difícil acesso; trata-se aí de países estrangeiros ou galáxias distantes, de fenômenos naturais incompreensíveis ou da escuridão da nossa alma. À medida que ele não se deixa desviar do seu propósito pelas advertências de outros homens, nem pelos seus próprios medos e sentimentos de culpa, mantendo-se aberto e disposto a aprender, capaz de suportar conflitos, frustrações, solidão e rejeição, ele adquire novos conhecimentos e realiza ações que possuem uma força transformadora, não apenas em relação a ele, mas também à sociedade. Ele representa características fundamentais de que precisamos para o domínio da vida e o embate criativo com a nossa existência. Seu caminho é o caminho da autorrealização.

Por outro lado, por que o herói e o aspecto heroico parecem não tão suspeitos? À desesperada exclamação do aluno Andres: "Infeliz o país que não tem heróis!", Bertolt Brecht faz o seu Galileu Galilei responder ceticamente: "Infeliz o país que precisa de heróis!" Observamos exaustivamente a correção desse ceticismo de Brecht na história da humanidade, ou seja, sempre que a sombra do herói sobre-humano se superpõe a povos e culturas, enquanto megalomania cega e zelo missionário, sede de opressão e de poder, intolerância, crueldade e violência. Muitos "heróis" do nosso século não são muito convincentes. O que significa isso para os heróis que, entusiasmados, participaram e ainda participam dos massacres de muitas guerras? O que significa isso para os heróis esportistas, que para alcançar um melhor desempenho, por algumas frações de segundos, por alguns centímetros, estão dispostos a arruinar seus corpos? O que significa isso para os pioneiros, que invadem as florestas para instalar oleodutos e destruir sem a menor responsabilidade o meio ambiente?

Naturalmente, precisamos nos distanciar desses "heróis". Por outro lado, experimentamos hoje também os efeitos negativos dos erros do homem modelo na nossa sociedade. Onde os exemplos férteis e construtivos deixam de existir, ampliam-se a resignação, a insensatez e a anarquia. "No future" e "Null Bock", vícios, prazer na brutalidade e fantasias de decadência expressam o sentimento desesperado do homem, que não está mais em união com o seu potencial de desenvolvimento criativo, com o seu herói interior. Na verdade, políticos e pessoas da igreja insistem sempre na necessidade de novos valores de vida, embora eles mesmos mal estejam em condições de formulá-los, quanto menos de incorporá-los. Quase sempre eles se referem meramente a jargões, tais como desempenho e sucesso, progresso e crescimento, paz e justiça, mas que parecem discutíveis, se levarmos em consideração a maneira insensata com que são realizados.

Se não quisermos esperar mais tempo por novos heróis, que nos tragam a libertação dos nossos problemas individuais e coletivos, então podemos tentar nos dedicar a alguns dos nossos heróis interiores e a eles confiar a nossa orientação de vida. Os antigos mitos podem servir primeiro como diretriz para descobrir e concretizar o herói para o qual nascemos.

Mas os nossos sonhos e fantasias também levam ao herói. Vivenciamos neles os mesmos símbolos e imagens de herói que a humanidade já experimentou e configurou em épocas mais antigas. A linguagem simbólica e figurativa é evidentemente uma linguagem primitiva e atemporal da humanidade. A descida às profundezas escuras da qual trata o sonho reproduzido no início é um dos mais antigos motivos de mudança e de herói. Em inúmeros mitos e contos de fadas, o herói ou a heroína tem de descer ao inferno ou ao reino dos mortos a fim de cumprir uma importante tarefa e ganhar um novo valor da vida. Relata-se assim, há mais de 4.000 anos, como a deusa babilônia Ischtar desce ao inferno para encontrar Tammuz, seu filho e amante, e como ela mesma morre lá embaixo, ressuscita depois de três dias para só então retornar ao mundo.

Certamente esse mitologema significava para o homem da época algo distinto do sonho transcrito acima de uma mulher moderna, mas por trás dessa diversidade cultural, social e histórica exterior, percebe-se a experiência humana básica, segundo a qual os processos de amadurecimento e mudança estão ligados à vivência do falecimento e da morte. Esse "morrer e retomar" é válido para as mais variadas esferas da existência humana e da experiência do mundo. Para nós, homens modernos, isso significa com frequência o processo de individuação, através do qual penetramos em nossas próprias profundezas anímicas desconhecidas, vivendo a experiência da morte de valores e posicionamentos antigos e estéreis, e retornando, depois de um processo de reordenação, com uma atitude mais saudável em relação a nós mesmos e à vida.

No sonho acima, a dissolução de algumas estruturas pouco resistentes da personalidade é representada pelo motivo que nos parece bastante cruel da decapitação e do esquartejamento. Esse motivo, que em outros contextos poderia indicar a perda ameaçadora da identidade, é aqui muito encorajador, pois aparece numa execução ritual. A sonhadora está protegida pelo ritual – a lavagem e a purificação –, pela companhia da mulher de branco e pela indicação de que muitas pessoas já haviam percorrido o mesmo caminho. Isso tudo indica que, para a sonhadora, trata-se menos de um processo doentio e muito mais de um processo necessário de mudança. Também é muito significativo que a dissolução e a recomposição da sua personalidade sejam dirigidas a partir de um centro interior ordenador. Trata-se, evidentemente, daquele fator criativo e regulador do nosso organismo, denominado por C. G. Jung de *Self*. Com isso, pressupõe-se que o nosso caminho heroico, trilhado individualmente, leva à experiência do nosso Si-mesmo, enquanto centro do ser, que ao mesmo tempo o impõe e o guia. E isso significa que o caminho do herói não está reservado a uns poucos escolhidos: todos nascemos para ser heróis.

# O CAMINHO É A META

Bem, antes de acompanhar heróis isolados em suas aventuras e perguntar a nós mesmos o que os seus atos podem significar em termos simbólicos no processo de autorrealização, eu gostaria de pedir ao leitor para parar um momento e pensar na história do seu herói preferido. Imagine então o percurso da história dele do começo ao fim. Feito isso, compare o destino e o caminho do seu herói com a seguinte descrição das etapas típicas da odisseia de um herói:

*O herói tem quase sempre pais divinos ou nobres, sendo ao mesmo tempo filho de seres humanos normais. A gestação, a gravidez, o nascimento e a primeira infância suportam uma grande carga. Algumas vezes os pais são estéreis, outras vezes o herói é rejeitado desde o princípio; ou seu nascimento tem de se realizar em um local secreto, ou ele deve ser morto e exposto. Sendo de origem nobre e divina, experimenta o sofrimento da criança abandonada, desamparada, cuja verdadeira natureza a princípio não é reconhecida. É ao mesmo tempo poderoso e carente.*

*Educado por pais adotivos ou por animais, em sua juventude ele logo revela talento, habilidades e poderes especiais. Excelentes mestres ajudam-no a aperfeiçoar suas habilidades e conhecimentos. Adquire suas armas pessoais, quase sempre de procedência e qualidade especial. Muitas vezes encontra também um animal, fiel companheiro – em geral cavalo, cão ou pássaro –, que se distingue pela inteligência, segurança instintiva e força.*

*Recebe então uma missão ou um chamado para partir em viagem. Depois das adversidades iniciais, que se revelam no próprio medo, desânimo ou através dos avisos de outras pessoas, põe-se a caminho. Até que a verdadeira luta acontece, ele tem de passar por uma série de pequenas aventuras. Por exemplo: encontra outro herói, a princípio hostil, com o qual luta, e que demonstra a mesma força. Às vezes, une-se a ele pela amizade.*

*A verdadeira luta do herói leva-o a penetrar em esferas desconhecidas e estranhas. Pode tratar-se de um lugar secreto, de difícil acesso, onde atua um poder sinistro e ameaçador, por exemplo um monstro semelhante ao dragão, um inimigo perigoso ou então a morte. Depois de uma luta difícil, quase fatal, o herói consegue superar esse poder inimigo. Em seguida, ganha um tesouro (ouro, reino, conhecimento, fama) e uma jovem virgem, com a qual se unirá e terá um filho.*

Com toda probabilidade você encontrou aqui algumas semelhanças entre esse percurso típico e a sua narrativa favorita. Naturalmente, as histórias de herói não mostram todos os detalhes deste esquema, mas a semelhança fundamental entre as histórias é assombrosa.[1] Há muito já se reconheceu a semelhança de personagens e peripécias entre os dramas de heróis nas mais diversas culturas através dos milênios de história da humanidade. Muitos pesquisadores achavam que essa uniformidade e universalidade baseava-se nas primeiras tentativas do ser humano de explicar fenômenos naturais incompreensíveis, mas iguais em toda parte, a partir do comportamento humano padrão. Desse modo, o herói recém-nascido significava talvez o sol vigoroso surgindo da água, ao qual as nuvens se opõem timidamente em seu nascimento mas que, afinal, supera todos os obstáculos de maneira vitoriosa. Ou então a luta do herói com monstros terríveis, sendo devorado e ressurgindo em seguida, e o seu casamento final com a grande deusa, seriam uma imagem das diferentes fases da lua ou da alternância do sol e da lua. Outros descrevem que no caminho do herói refletem-se ciclos anuais da natureza, e associam-no aos ritos da fertilidade e ao relacionamento entre mulher e homem nas sociedades matriarcais.

Uma explicação mais satisfatória parece ser a de que a ocorrência universal e a semelhança dos motivos míticos do herói remontam em toda parte ao fato de que o herói substitui o ser humano exemplar, que se esforça por uma renovação social, pelo domínio criativo da vida e pela ampliação da consciência. As experiências, conflitos e dificuldades ligadas a isso são extremamente semelhantes para as pessoas de todas as culturas. Nesta perspectiva, portanto, o caminho do herói não remonta à experiência igual em toda parte do percurso diário do sol, mas sim o inverso: o percurso do sol torna-se um símbolo do caminho do herói, igual em toda parte. Isso foi resumido assim por C. G. Jung, em seu livro sobre o herói, *Símbolos da transformação*:

"O sol escapa do abraço e do enlaçamento, do seio envolvente do mar, subindo triunfante e, deixando atrás de si o apogeu do meio-dia e toda a sua gloriosa obra, torna a mergulhar no mar materno, na noite que tudo cobre e tudo faz renascer. Esta imagem foi certamente a primeira a tornar-se, com a mais absoluta razão, a expressão simbólica do destino humano. (...) O curso natural da vida exige antes de mais nada do jovem o sacrifício de sua infância e de sua dependência infantil em relação aos pais verdadeiros, para que não fique ligado a eles pelo laço do incesto inconsciente, prejudicial para o corpo e para a alma. (...) Com a separação das fronteiras da infância, almeja-se uma consciência autônoma. O Sol afasta-se das névoas do horizonte e alcança a claridade transparente de sua posição ao meio-dia. Atingida essa meta, ele volta a declinar para aproximar-se da noite. Isso se manifesta de um modo que poderia ser alegorizado pelo gradual escoamento da água da vida. (...) As convicções transformam-se em discos gastos, os ideais em hábitos rígidos e o entusiasmo em gestos automáticos. (...) Tudo o que é jovem um dia envelhece, toda a beleza fenece, todo calor esfria, todo brilho se apaga e toda verdade torna-se insípida e trivial, pois todas essas coisas um dia tomaram

Lutz Müller

forma, e todas as formas estão sujeitas à ação do tempo; envelhecem, adoecem, desintegram-se caso não se transformem. Podem transformar-se, pois a centelha invisível que um dia as gerou é capaz de criação infinita, pela sua força eterna. Ninguém vai negar o perigo da descida, mas podemos arriscar. (...) A cada descida segue-se uma ascensão. As formas desvanecem e se modificam, e uma verdade só é válida a longo prazo quando se transforma, dando novamente testemunho através de novas imagens, de novas línguas, como um vinho novo e acondicionado em odres novos."[2]

A alegoria do ciclo diário do Sol indica ainda um outro fato importante: o drama do herói não é um fenômeno único, mas um exemplo simbólico de percursos que se repetem constantemente nas épocas mais diversas e nos mais variados níveis. Se considero o drama do herói neste livro sob o aspecto do processo de individuação e da vida criativa, isso quer dizer, então, que o herói se encontra numa peregrinação, numa procura ininterrupta, na qual não existe nenhuma meta definitiva. Há apenas objetivos parciais que oferecem orientação somente para um determinado período ou para uma determinada fase da vida. Se quisermos continuar vivos dentro do rio, devemos nos encaminhar, mesmo contra muitas resistências interiores e exteriores, e travar sempre novas "lutas com o dragão". Todo ato criativo, ainda que mínimo, através do qual modificamos a nós mesmos ou ao nosso meio ambiente, corresponde a um pequeno dragão heroico. Estar a caminho é a meta ou, na linguagem psicológica, o nosso *Self* revela-se apenas em suas formas em contínua mutação. Só podemos circundá-lo sem jamais concretizá-lo por completo. Por isso, a viagem e o caminho são um símbolo antiquíssimo do processo de individuação.

Em muitos dos nossos sonhos também estamos a caminho. No começo de uma "viagem" em direção a nós mesmos vemo-nos de repente em cidades desconhecidas, caminhamos por regiões isoladas ou nos perdemos em florestas e labirintos. Às vezes, nem conseguimos partir: estamos sem a bagagem, sem os documentos ou sem a passagem, o carro não pega, perdemos o ônibus por questão de segundos. Numa outra vez, perdemos o dinheiro no caminho ou procuramos desesperados o automóvel estacionado em algum lugar. Os sonhos que temos mostram assim nossos medos e conflitos, que se opõem ao nosso "caminho heroico" e que tornam tão difícil para nós seguir o fluxo da vida criativa.

A este respeito, tenho anotado em meus papéis um sonho raramente claro, infelizmente de procedência desconhecida. Ele representa uma quase clássica "viagem marítima noturna" do herói, com os respectivos obstáculos. Por isso é válido também para inúmeras dificuldades na vida e suas respectivas superações. A sonhadora encontra-se bem no meio de uma crise conjugal, determinada em parte pelo seu medo de ser independente.

*Eu e meu marido estamos navegando com um pequeno barco em um lago. É madrugada. Pouco distantes, estão duas outras embarcações. Nosso barqueiro é um homem baixo, corcunda, rosto sério e inteligente. (...) De repente, começa uma tempestade, os barcos são jogados de um lado para outro. Há extremo perigo de vida. O barqueiro desapareceu, começam os relâmpagos e trovões. Nosso barco está pesado, só pode carregar uma pessoa. Tem um único remo. Meu marido rema com esforço. Trocar de lugar para ajudá-lo é impossível. Num relance, descubro o que deve ser feito. Atiro-me na água, luto com todas as minhas forças para atingir o segundo barco e, por sorte, consigo. No momento em que apanho os remos, a tempestade se acalma. Os dois barcos navegam lado a lado. Com um bramido suave o sol nasce. Desembarcamos. Na margem está o barqueiro. Ele diz: Dois são mais que um. E toda unidade tem sentido na dualidade, que é a sua raiz!*

A viagem de barco à noite costuma simbolizar um estado de escuridão anímica, de desorientação, de desnorteamento.

A sonhadora sente que a vida entrou em crise e não sabe como levar isso adiante. Em todo caso, aparece no início um barqueiro misterioso que, presume-se, já passou por muitas dessas viagens marítimas noturnas. Ele parece a configuração do velho sábio, tal como ocorre de repente em muitos contos de fadas, em muitos mitos e situações perigosas, mantendo-se solicitamente ao lado da pessoa. Ele representa, portanto, uma sabedoria humana profunda e inconsciente, que se torna ativa quando uma pessoa com suas atitudes e posturas habituais entra em um beco sem saída. A solução da problemática da sonhadora é indicada pelos dois barcos navegando a pequena distância. Mas, provavelmente, ela ainda não tem coragem para tomar uma decisão. A crise precisa se agravar – começa uma tempestade muito perigosa – até ela ter bem claro em sua mente como se comportar. O barqueiro desaparece, o que demonstra que agora tudo depende de uma decisão consciente, que ninguém pode tomar por ela. Ela ousa "saltar na água fria", e nada até o segundo barco. No momento em que se arrisca a tomar as rédeas do seu próprio processo de vida, o conflito se resolve. A tempestade se acalma, o sol nasce e, desse modo, ela encontra uma nova orientação. A sonhadora deve evidentemente aprender a se desligar de um estado de unidade simbiótica e de fusão com o marido, e a encontrar autonomia na vida conjugal – uma dualidade na unidade do matrimônio.

Neste e em muitos outros sonhos fica evidente, também, que o caminho do herói não é algo tipicamente masculino ou reservado apenas aos homens. Na verdade, a maioria das nossas figuras heroicas é do sexo masculino – o que está relacionado com a unilateralidade preconceituosa da nossa cultura patriarcal –, mas as tarefas e problemas legados à procura de si mesmo e à vida criativa são igualmente ou, pelo menos, semelhantemente válidos tanto para o homem quanto para a mulher. À medida que homens e mulheres ultrapassem suas tarefas e funções biológicas, as diferenças se anulam, e os aspectos comuns vêm à tona. Isso vale sobretudo para a esfera espiritual e cultural e para o caminho da individuação. Para mostrar isso, nos capítulos seguintes tentarei compensar a sobrecarga masculina nos mitos de heróis através de um maior número de sonhos femininos, evidenciando que não apenas todo homem, mas toda mulher nasceu para trilhar o caminho do herói.

# O DRAMA DA
## CRIANÇA HEROICA

*Dânae, a mãe de Perseu, foi encerrada por seu pai Acrísio, o rei de Argos, num calabouço subterrâneo, porque um oráculo lhe dissera que o filho de Dânae causaria a sua morte. Zeus, o pai dos deuses, porém, desejava possuir Dânae no aposento dela, que parecia uma tumba; ele transformou-se numa chuva de ouro que caía sobre o teto da prisão. Desse modo, a tumba transformou-se numa câmara nupcial. Depois do nascimento de Perseu, o filho divino, o rei Acrísio quis matar a própria filha e sua nefasta criança, lançando ambos ao mar dentro de uma arca. Zeus, porém, protegeu-os, levando-os sãos e salvos para a ilha de Sérifo, onde foram recolhidos por um pescador.*

Acompanhando agora as etapas típicas do caminho do herói, nos deparamos, em primeiro lugar, com o fato psicologicamente tão profundo, de que a concepção, a gravidez, o nascimento e a primeira infância do futuro herói são com frequência representados como muito penosos e arriscados. A narrativa sobre o babilônico Gilgamesch, um dos mais antigos heróis da humanidade, é semelhante à de Perseu. Depois do nascimento, ele foi jogado de uma torre, apanhado por uma águia e colocado em segurança. Diz-se que o herói trágico Édipo acabou abandonado, por ordem do pai, numa região erma, com os pés atravessados por um ferro e amarrados. Mas ele foi salvo por um pastor. Sabemos do próprio Zeus e de Hércules, o maior herói grego, assim como de Moisés e de Jesus, o quanto tiveram a infância ameaçada.

Na verdade, há uma série de narrativas nas quais o nascimento do herói é ansiosamente esperado pelos pais, estando sua primeira infância e adolescência iluminadas pela estrela mais feliz, e onde ele é amplamente estimulado em suas aptidões e capacidades, embora essas descrições não sejam tão satisfatórias do ponto de vista psicológico. Elas não apenas dificultam a nossa identificação com o futuro herói – pois quem pode se lembrar de uma infância tão feliz? – como também negligenciam aquele momento psicodinamicamente decisivo, responsável em larga medida pela fascinação e força do motivo do herói: a relação necessária entre a vivência da impotência e a ansiedade por uma força e um tamanho superior.

Mas por que a figura do herói exige justamente essa procedência modesta e inferior e essa adolescência e infância ameaçadas? Por que ficamos tão satisfeitos quando reproduzimos em inúmeros contos de fadas, romances, filmes e biografias de pessoas importantes aquele antiquíssimo esquema da criança abandonada, humilhada e desprezada, que evolui a despeito de todos os sofrimentos e obstáculos, tornando-se notável e famosa? A resposta é simples, e já foi dada na introdução: o herói reflete a vivência original da nossa impotência e finitude existencial, e nossa esperança de poder superar este estado quase insuportável. O herói somos nós.

Desde o princípio somos seres que, em larga medida, nós mesmos desconhecemos, nascidos num mundo estranho e desconhecido. Logo depois de respirar pela primeira vez, já nos sentimos abandonados, solitários, incompreendidos. Nenhuma mãe, mesmo tão boa, e nenhum parceiro, mesmo tão compreensivo, poderá adentrar realmente nossas particularidades; nenhum autoexame, mesmo tão intensivo, nos ensinará a entender inteiramente a nós mesmos; nenhuma pessoa poderá nos consolar em nossos grandes medos, humilhações e dores, e ninguém pode dar por nós aqueles passos de amadurecimento, necessários em nosso caminho desconhecido pela vida em direção à morte. Em toda parte, temos de carregar e suportar sozinhos o medo e o risco da vida, mesmo preferindo fechar os olhos diante desses fatos.

As crianças em especial estão expostas a essas vivências universais de abandono e impotência. Elas precisam experimentar a incompreensão e a recusa além da medida normal e absolutamente suportável, seja porque não são desejadas, seja porque apanham e abusa-se delas, ou porque são humilhadas e desprezadas. Uma mulher traz a lembrança de uma das suas mais antigas experiências de infância: com cerca de três anos, no jardim de infância, ela se borrou nas calças. Como castigo, foi colocada nua em um balde e lavada na frente de todos, sob as gargalhadas das outras crianças. Em seguida, foi colocada no canto para criar vergonha. Um homem, que sofre intenso medo de falhar, narra com uma forte sensação de tormento que na escola, nas provas de cálculos de cabeça – a classe toda ficava de pé, e um de cada vez sentava, à medida que respondesse com rapidez aos exercícios propostos pelo professor –, era sempre o último a se sentar, sob a gritaria da classe e as palavras humilhantes do professor. Outro homem fala da própria infância, lembrando quando o próprio pai, cego de raiva, o perseguia caçando-o por toda a casa com um porrete na mão. Era como se ele estivesse correndo apenas pela sua existência. Quando o pai o alcançava, agarrava-o e batia nele sem dó. O medo tornava-se então ilimitado, a ponto de ele se borrar nas calças. Mais tarde, tinha ainda de se desculpar junto ao pai pela malcriação, embora de modo algum a visse como tal. A mãe dele, ainda por cima, colocava-se ao lado do pai e dizia meneando a cabeça: "Por que você agiu tão mal?"

O catastrófico em situações assim, nas quais crianças indefesas e sozinhas são expostas à crueldade e ao sadismo de pessoas prepotentes, acentua-se ainda mais pelo fato de elas tirarem quase sempre desta experiência a conclusão de que elas é que são cruéis, más e ruins. Crianças não dispõem de objetividade e distância suficiente para poder julgar de forma crítica os próprios pais, suas respectivas motivações e circunstâncias de vida. Por depender deles, as crianças os veem como seres ilimitadamente superiores, infalíveis, divinos. Na maioria das vezes, elas quase sempre podem apenas concluir: "Se meus pais não me amam, é porque sou mau e não sou digno do seu amor; se os meus pais me maltratam e humilham, é porque devo ter merecido, porque sou ruim e egoísta; e se outras pessoas riem de mim, é porque sou realmente um fracassado."

Por acreditar em tudo isso a respeito de si mesmo e se envergonharem disso, elas têm de reprimir o medo, a ira legítima e a profunda aflição que sentem, ligadas a essas vivências traumáticas; enquanto crianças, elas não podem perceber o que lhes é feito. Por isso, mesmo como adultos, é tão terrivelmente penoso e ameaçador falar das humilhações sofridas. Os adultos continuam acreditando firmemente na sentença de culpa e na maldição do desterro que as primeiras pessoas responsáveis por elas lhes infligiram, continuando de todo conhecidas de que são maldosos e pecadores. Receiam que os seus semelhantes os rejeitem e castiguem do modo como já viveram isso um dia.

É comum as crianças preencherem suas necessidades recorrendo à proveitosa fantasia do enjeitado e dos pais desconhecidos, mas nobres e melhores. Elas sonham que os seus "verdadeiros" pais – ricos e famosos – voltarão um dia para buscá-las. E se alegram ao imaginar como seus padrastos e irmãos olharão, incrédulos, quando elas – as mais inferiores e desprezíveis dentre todos – se revelarem crianças de ascendência nobre. Este motivo – padrastos impiedosos e uma criança insignificante, menosprezada e rejeitada, que um dia descobre sua verdadeira procedência e suas qualidades especiais – constitui o efeito tão extraordinariamente consolador de muitos contos de fada.

Portanto, ao refletir sobre essas questões – de que modo sobreviver psiquicamente, enquanto crianças impotentes e humilhadas, e de onde tirar forças para confiar que um dia tudo melhorará para nós –, nos deparamos então com a figura do herói. Se a nossa força de autorrealização e a nossa fantasia criativa não foram de todo destruídas, elas gerarão em nós, como compensação, a imagem consoladora do herói. Sua robustez nos faz esquecer a nossa impotência e permite-nos suportar com valentia as nossas dores; sua grandeza superior não nos deixa esquecer a nossa própria e verdadeira dignidade e grandeza, e seu triunfo final nos dá esperanças de que um dia também triunfaremos sobre o nosso sofrimento.

Mas isso não parece otimista demais? Acaso não haverá homens demais girando durante toda a vida, como prisioneiros, no círculo de influência dos oráculos e maldições negativas que o "destino" lhes impõe através dos seus primeiros relacionamentos pessoais ou de circunstâncias tristes da vida, tais como a miséria, a guerra, a doença? Fórmulas como "Não seja!", "Não sinta!", "Não deseje nada!", são eficazes em muitas pessoas enquanto programas determinadores da vida. É possível ainda haver esperança para uma pessoa que durante muitos anos de vida esteve convencida de não ter absolutamente nenhum direito à própria existência, por ser um fracasso e por isso mesmo achar que não pode desejar ou querer nada para si? Essa esperança pode ser praticamente ínfima; e contudo advém do fato de que uma pessoa assim realmente sobreviveu, apesar de todas as adversidades.

Que força permaneceu nela fazendo-a resistir por tanto tempo? Será que os deuses do destino, em algum lugar, não lhe concederam também, desde o berço, um oráculo positivo? Creio que esse oráculo positivo, que toda pessoa recebe em seu caminho, reside na própria energia criativa da vida, que

Lutz Müller

ininterruptamente anseia até o fim encontrar em cada um de nós a sua expressão mais elevada.

Uma mulher que, em função do seu contínuo esforço de adaptação e de sua rotina diária de trabalho, já havia esquecido há muito que também traz dentro de si uma criança heroica, animada pelo desejo de fazer o melhor de sua vida, sonhou o seguinte:

*Numa rua deserta, um carrinho de bebê estava parado na porta de uma garagem. Tive a impressão de que se encontrava ali há muito tempo e ninguém se importava com ele. Com muito medo, pois poderia descobrir ali dentro uma criança morta, aproximei-me dele. Para meu grande alívio, encontrei uma criança tranquila e serena. Olhando mais de perto, notei que tinha cabelos amarelo-dourados; ela sorriu e me fitou com os olhos bem abertos. Uma onda de sentimentos intensos de calor, alegria e amor me inundou. Muito feliz, acordei.*

Deve haver poucos símbolos com uma força tão abrangente e vivificante como esse da criança heroica, divina. A este respeito, Jung escreveu:

"Ela personifica os poderes vitais além da extensão limitada da consciência, caminhos e possibilidades que, em sua unilateralidade, a consciência desconhece, e uma totalidade que inclui as profundezas da natureza. Ela representa o ímpeto mais forte e inevitável do ser de realizar a si mesmo (...). O ímpeto e a pressão para a autorrealização são uma lei natural, dotados, portanto, de uma força insuperável, ainda que seus primeiros efeitos sejam a princípio insignificantes e improváveis."[3]

Essa insignificância da criança divina em nós, porém, tem nos criado sérias dificuldades para entrar em contato com ela. Estamos sempre repudiando-a, porque ela nos inspira fantasias e desejos que menosprezamos, chamando-os de "infantis", de "insensatos" ou "ridículos", e sempre desprezamos seu imenso potencial evolutivo, opondo aos seus impulsos um incrédulo "Isso não leva a nada!" ou "Em que será que isso vai dar?". Desse modo, tornamo-nos os nossos próprios padrastos ruins, perseguindo o nosso novo nascimento e desenvolvimento com a rejeição e a morte.

Portanto, é possível resumir o que podemos aprender do drama mítico do nascimento do herói para o nosso processo de individuação: quem se lançar na viagem do herói deve ocupar-se inevitavelmente, e de maneira afetuosa, com a criança abandonada e humilhada dentro de si. Deve se defrontar com o medo, a aflição e a impotência da sua primeira infância, para que sua curiosidade, sua força de vontade, sua franqueza e alegria de viver possam despertar outra vez. Para isso, os vários métodos de autoexperimentação oferecem múltiplos auxílios. Existe, contudo, a enorme tentação de continuar fixado na postura da criança abandonada, incompreendida, e numa atitude repreensiva diante dos pais. Muitos repetem durante anos e décadas os sentimentos e queixas infantis eternamente iguais, sem que comecem a assumir a responsabilidade pela sua própria vida. É que para isso é necessário superar o estágio da criança abandonada e encontrar a criança "divina", aquela força vital que nos fez sobreviver até agora e que, apesar de todas as dificuldades, brada um grande "Sim!" à vida. Nós mesmos temos de assumir agora a paternidade diligente dessa criança divina.

# AS ARMAS DO HERÓI:

## saber, ousar, querer, calar

*Anfitrião chamou o vidente Tirésias. Este prognosticou que o rapaz Hércules realizaria feitos incríveis e que, depois de terminar sua vida fatigante, ganharia dos deuses a vida eterna e Hebe – a eterna juventude – como esposa celestial. Quando Anfitrião ouviu dos lábios do vidente o nobre destino do rapaz, decidiu dar a ele uma educação digna. Juntou heróis de todas as regiões. Ele próprio instruiu Hércules na arte de conduzir carros. Êurito ensinou-lhe a estirar o arco e a atirar a flecha. Harpálaco ensinou-lhe a arte de lutar. Comolco instruiu-o no canto e no toque da lira. Castor mostrou-lhe como lutar com armas pesadas na guerra. Lino, o idoso filho de Apoio, ensinou-lhe a escrita (...) Hércules foi crescendo e logo superou a todos em tamanho e força. Nunca faltou nos exercícios com flecha e lança. Aos 18 anos, já era o homem mais belo e mais forte da Grécia; e era preciso decidir então se ele usaria a sua força para o bem ou para o mal.*[4]

Na maioria das histórias sobre heróis – tal como nesta de Hércules – constatamos que o herói infantil e adolescente, logo depois de passar pelos perigos do nascimento e dos primeiros meses de vida, sendo educado sob os cuidados dos segundos pais, revela força e habilidades especiais para lutar, cavalgar e manejar as armas. Se tentarmos extrair possíveis significados psicológicos dessas armas do herói, ficaria outra vez evidenciado que não queremos entendê-las no seu significado prático concreto, mas sim em seu possível significado simbólico. Vamos examiná-las como se tivéssemos sonhado com elas, relacionando-as então com determinadas características anímicas que devemos exercitar e desenvolver a fim de, mais tarde, ter condições de "lutar com o nosso dragão". É possível resumir as capacidades anímicas essenciais que o herói e também o homem criativo desenvolvem quase sempre mais que a média dos outros homens, com a antiga fórmula: "Saber, ousar, querer, calar". "Saber" designa uma elevada disposição para aprender, uma abertura para o novo – a curiosidade criativa – e uma enorme necessidade de entender cada vez melhor e mais profundamente as inter-relações. "Ousar" significa a coragem para o risco cauteloso, sem a qual não haveria a busca do desconhecido e não se poderia superar os inevitáveis conflitos com os semelhantes, que surgem do fato de se distanciar um pouco das normas coletivas, preferindo-se assim manter-se fiel a si mesmo. "Querer" expressa a força de seguir o próprio caminho com paciência, firmeza e intencionalidade, mobilizando toda a personalidade, apesar de todas as adversidades e reveses; e no "calar" revelam-se a disciplina emocional, a autodeterminação, a autonomia e, sem dúvida, a capacidade para a objetividade suprapessoal, sobre a qual encontraremos material mais abundante no capítulo a respeito da arte do manejo do escudo. Essas características serão examinadas em detalhes a partir das armas do herói. Comecemos pela arma mais simples e elementar, e que serve de base a quase todas as outras: o bastão.

A princípio, o bastão – tal como as outras armas típicas do herói – simboliza naturalmente o falo e a fertilidade. Enquanto parte da árvore, ele se relaciona simbolicamente com a sua capacidade de fazer surgir e desaparecer a vida. O significado do falo, enquanto símbolo básico do herói, porém, ultrapassa em muito este conhecido aspecto de fertilidade, da capacidade de gerar. Sozinhos, estes outros significados tornam compreensíveis às razões da fascinação que o falo exerce, tanto sobre os homens quanto sobre as mulheres. É bem provável que hoje em dia não sejamos capazes de imaginar o significado marcante que ele tinha para as pessoas da antiguidade, quando descobriram o bastão como instrumento e arma. Devem tê-lo encarado como uma revolução. Com o bastão, eles puderam ampliar o raio de ação de suas mãos; puderam lutar, matar animais, avançar em áreas perigosas (como nas cavernas, em áreas devastadas pela água ou pelo fogo), sem se ferir; puderam afofar a terra, tornando-a fértil, e carregar cargas pesadas com maior comodidade. Visto que o bastão possibilitava um aumento da força muscular – pensemos nas leis da alavanca, que multiplicam as nossas forças de maneira impressionante –, eles logo lhe atribuíram poderes mágicos. Era como se o bastão lhes adicionasse uma força e uma potência especial. Vemos isso, por exemplo, no bastão mágico-divino de Moisés, com o qual ele foi capaz de fazer coisas milagrosas.

> *"E agora apanha este bastão; com ele deves fazer os sinais." (...) "Moisés e Aarão fizeram como o Senhor havia pedido: Moisés ergueu o bastão e, diante dos olhos do faraó e do seu povo, bateu com ele na água, e toda a água do Nilo se transformou em sangue."*[5]

*(...) "Moisés, então, apontou o bastão para o céu, e o Senhor fez trovejar e chover granizo, e o fogo veio em direção à Terra."[6] (...) "E Moisés esticou o seu braço sobre o mar, e o Senhor enviou durante toda a noite um forte vento leste em direção ao mar fazendo secar as águas, que então se dividiram."[7] (...) "O Senhor respondeu a Moisés: (...) Apanha o mesmo bastão com o qual bateste no Nilo, e vai até os rochedos de Horeb ... Bate com ele na pedra e a água brotará, e o povo terá o que beber. E assim fez Moisés diante dos anciãos de Israel."[8]*

Hermes, porém, o mensageiro dos deuses, também possuía um bastão semelhante, o caduceu. Rodeado por duas serpentes, tinha o poder de adormecer ou despertar as pessoas. O bastão de Esculápio, com uma das serpentes representando, neste contexto, a cura, a renovação e a força vital, tornou-se um símbolo da medicina.

Não sei como moças e mulheres percebem um bastão, visto que desde cedo são mantidas afastadas das formas semelhantes a armas; mas creio que a maioria dos homens, pela própria experiência na infância, está familiarizada com o fascínio do bastão, e de modo algum somente por possuir um pênis que ocasionalmente se põe ereto. Segurar nas mãos uma bengala ou um bastão significa aumento de poder. Ele fortalece a coragem, a autoconfiança; concede segurança e apoio. Quando ainda jovem e precisava ir a algum lugar que me amedrontava, à adega escura, por exemplo, apanhava um bastão para me acompanhar. Opto intencionalmente por esta formulação, pois suponho que o poder do bastão não reside apenas na melhor capacidade de defesa, mas também em sua função de um assim chamado "objeto de passagem". Ele representa as características dos pais que apoiam e dão segurança ao filho, possibilitando-lhe uma "passagem" gradual da postura infantil, dependente deles, para a autonomia. Naturalmente, penso agora também no Salmo 23: "O senhor é meu pastor... Ainda que eu andasse pelo vale da sombra da morte, não temeria mal algum, pois Ele está comigo; sua vara e seu cajado me consolam."

Entretanto, o poder fascinante do bastão alcança profundezas ainda maiores: ele "contém" um segredo "mágico" que torna aquele que o conhece e o realiza o soberano real (centro) e o representante divino (cajado). Neste caso, trata-se do milagre da consciência ordenadora e da vontade resoluta.

A consciência humana pensante e criativa é a "magia" mais elevada que conhecemos. Graças a essa capacidade, o ser humano pode realizar suas ideias, desejos e planos, e conduzir e influenciar as leis da natureza.

De que forma, porém, o bastão contém simbolicamente o segredo da consciência criativa? Pensemos, por exemplo, no dirigente de uma orquestra. Ao movimentar a batuta marcando o compasso e o ritmo, ele possibilita aos músicos tocar juntos em concordância e sintonia. O agrupamento desordenado e aparentemente caótico de instrumentos isolados torna-se uma sequência musical ordenada, com estrutura, começo e fim. Aqui, o bastão transforma-se, portanto, num símbolo da força ordenadora concentrada e dinâmica. Veremos mais tarde algo semelhante com a lança e com o arco e a flecha.

Acrescente-se que concebemos o bastão ativado – correspondendo inteiramente ao seu simbolismo interior – quase sempre como vertical ou ereto. Por exemplo, enfiado na terra esta posição ele anuncia: "Este é o meu lugar, o meu território. Aqui estou e aqui ficarei!" Não deve ser por acaso que o primeiro número, o "1", assemelha-se a um bastão, e que a letra "I" em inglês significa "eu".

A postura ereta do homem tem muito a ver com a consciência do Eu, com sua identidade e capacidade de realizar os próprios desígnios. Ao tentar ficar de pé, a criança pequena está executando para si uma ação criativa consciente e universal. Ficando de pé, evidencia-se um "em cima" e um "embaixo", um "na frente" e um "atrás". A criança começa a se orientar no espaço e no tempo, examinando e dando forma. As mãos ficam livres para agir e experimentar. Ficar de pé proporciona uma sensação eufórica e triunfante de agilidade e de poder. Aprendendo a parar em pé e a correr, por um lado, ela se liberta da dependência absoluta da mãe; por outro, vai de encontro de

Lutz Müller

maneira mais clara às fronteiras entre ela e os objetos do mundo exterior. Vivencia cada vez mais a si mesma e ao seu corpo como centro da sua existência, podendo distingui-lo assim da mãe e do mundo exterior. Desse modo, surgem a consciência do Eu e de si mesma.

O bastão transmite-nos a fórmula fundamental de toda a ação criativa: "Seja você mesmo." Ele nos encoraja para o risco de sermos "sinceros" com nós mesmos, com os nossos sentimentos, desejos e ideias. Se tivéssemos de reduzir todas as características de uma pessoa heroica a um denominador comum, este seria exatamente o seguinte: "Seja fiel a si mesmo e assuma a responsabilidade pela sua vida."

Tal comportamento, entretanto, é uma audácia e um risco constante. Inevitavelmente, isso se deve ao fato de cairmos em contradição com as concepções dos nossos semelhantes sobre nós, com as nossas próprias concepções a respeito de como realmente deveríamos ser, e com as nossas necessidades de segurança e de cuidados especiais no relacionamento com os semelhantes. O medo desses conflitos faz com que muitas pessoas recuem antes das primeiras etapas do caminho do herói, persistindo numa adaptação infrutífera. Desse modo, porém, eles nunca experimentarão aquele sentimento afortunado do "Eu sou eu", o nosso direito de nascer. Para Moisés, o bastão é animado pela vontade e pelo poder divino. Isso pode nos trazer à mente que esse "sim incondicional a si mesmo", esse "eu sou o que sou" no seu sentido mais profundo, expressa a harmonia do homem com o seu Si-mesmo *(Self)*.

As outras armas, que se pode mais ou menos deduzir da função do bastão, completam os aspectos descritos ou destacam com vigor alguns deles. A clava, por exemplo, a arma que Hércules fez de uma oliveira (na Grécia esta árvore simboliza, entre outras coisas, o conhecimento e a força espiritual, a fertilidade, a força vital e a vitória!), é um verdadeiro acumulador de força. Pelo seu peso e pelo seu centro de gravidade unilateral, ela multiplica o ímpeto destruidor do golpe, e é capaz de concentrar num pequeno ponto a energia acumulada ao ser balançada no ar. Para poder manejá-la com habilidade, porém, é preciso uma força física maior. Ela pode escapar facilmente do controle e atingir o próprio dono. Todavia, visto que a clava pode ser utilizada quase sempre de maneira não tão diferenciada como o bastão, e servir principalmente à luta e à destruição, costumamos entendê-la como um símbolo da agressão e força bruta.

Boa parte da atração que o herói forte e radical exerce sobre nós baseia-se na sua capacidade de chegar a soluções definitivas sem muita dúvida, escrúpulo ou sentimento de culpa. Seria bom lembrar aqui o incrível efeito sobre as massas de fantasias relacionadas com o "total", o "definitivo" e o "radical". Essas fantasias exprimem sempre a psicologia heroica da clava que ainda hoje impressiona muitos jovens.

Na capa de uma revista[9] causava admiração o astro de Hollywood, o supermusculoso Arnold Schwarzenegger com um terno sob medida, gravata e camisa branca; o braço direito do paletó estava rasgado deixando a descoberto os bíceps poderosos do ator. Essa foto expressa com muita clareza o nosso conflito entre a adaptação social e a revolta agressiva, e mostra nossos anseios secretos por um herói forte que, quando as humilhações por ele sofridas ultrapassam uma certa medida, renuncia à sua adaptação e docilidade, revelando-se um bárbaro selvagem que se enraivece e, num êxtase sanguinário, abate como uma máquina de guerra exércitos inimigos inteiros.

Presumivelmente, nos enganamos ao acreditar que não temos necessidade desses comportamentos radicais e violentos. Nossos sonhos, nossas fantasias cotidianas semiconscientes, de acordo com o lema "Agora vamos pegar pra valer!", e a nossa alegria manifesta ou secreta em cenas de luta, pancadaria e violência nos meios de comunicação e no esporte, mostra-nos exatamente o contrário. Nossa personalidade inconsciente é mais primitiva e arcaica do que gostamos de admitir.

Certa vez, durante uma briga, uma mulher que pensa e sente de maneira bastante diferenciada ficou profundamente comovida por ser quase incapaz de dominar a fantasia de assassinar o marido com a garrafa de vinho que estava sobre a mesa. Eu mesmo quase me acostumei com fantasias de metralhadoras atirando a esmo, bazucas e granadas de mão explodindo quando uma motocicleta passa por mim na rua fazendo um barulho infernal, ou toda vez que um desses terríveis cortadores de grama mexe com os meus nervos. Muitas pessoas gostam de usar a cabeça como clava ao querer "bater a cabeça na parede" com toda a força. O nosso antepassado "que brandia a clava" está sempre dentro de nós pronto para entrar em ação.

Mas a capacidade de tal expressão de força e agressão não pode ser avaliada apenas como algo destrutivo. Às vezes é realmente necessário "dar um soco na mesa" ou usar toda a nossa força para nos libertarmos de situações prejudiciais funestas. No artigo sobre os homens fortes da revista acima citada, encontramos uma reflexão já feita, segundo dizem, por círculos feministas, de que "um punho masculino batendo ocasionalmente com firmeza sobre a mesa teria também o seu lado bom e simples, comparado com o amadorismo psicanalítico do parceiro benévolo e compreensivo". Por essa razão, na realidade, muitas pessoas não conseguem sair de situações infelizes e de intermináveis viagens psíquicas; elas não têm a coragem de colocar um ponto final em determinada situação, e são consideradas por isso irresponsáveis.

Enquanto de certo modo a clava acentua o aspecto de força primitiva e de violência do bastão, a lança, o dardo e sobretudo o arco e a flecha frisam a sua extrema mobilidade. Justamente o arco e a flecha deixam evidente o lado "mágico" do bastão. Com uma construção tão simples e pouco vistosa – um bastão grosso, um fino e um cordão – faz-se uma arma mágico-misteriosa. A força de distensão do arco unida à suave mobilidade da flecha torna-se uma unidade poderosa. Abater a caça a uma distância segura ou poder matar o inimigo ameaçador sempre foi para os homens uma ideia fascinante.

A rapidez surpreendente da flecha, que parte silenciosa de um local escuro, ferindo ou matando, faz dela um símbolo do destino e dos fenômenos anímicos que nos atingem subitamente, de maneira inesperada, deixando-nos atônitos: seja a morte, o amor, a iluminação ou um mero humor estranho ou uma nova ideia. Entre os povos naturais, é bastante difusa a concepção de que as doenças surgem a partir de flechas atiradas pelos deuses e demônios, ou mesmo por pessoas com más intenções. Sem dúvida, nós também podemos vivenciar no cotidiano algo dessa magia negra. Desse modo, podemos realmente "adoecer" quando pessoas agressivas nos "ferem" com suas observações "cortantes", suas "alfinetadas" irônicas e seus olhares "venenosos". Nesse caso, seria bom se tivéssemos, tal como os nossos heróis, um escudo protetor seguro, com o qual pudéssemos nos manter afastados dessas flechas de ódio. Mais tarde falaremos um pouco a respeito. Voltemos mais uma vez ao simbolismo do arco e da flecha relacionado com as capacidades necessárias para trilhar o caminho do herói.

A maior parte da força física e de penetração que a clava simboliza não está mais em primeiro plano no caso da lança, do dardo, assim como no do arco e da flecha. A agilidade e a habilidade controlada são mais importantes. Por isso, essas armas podem tornar-se símbolos de diversas potências diferenciadas do Eu, tais como a paciência, a concentração e a perseverança, a intencionalidade e a precisão. Contudo, elas também podem indicar o jogo de troca entre a tensão orientada para um objetivo e o ato de descontração e de distensão confiante, como se vê em todo processo criativo de vida. Por essa razão, a arte do arqueiro Zen japonês leva o aluno praticante ao recolhimento e à meditação, à disciplina, à serenidade e à vida a partir do próprio centro.

# O MILAGRE DA ESPADA

*Ele forjou uma bela espada e deu-a a Sigurd. Este, porém, balançou a cabeça e dizendo "Péssimo trabalho, Regin!" bateu-a na bigorna e quebrou-a em pedaços. Regin forjou outra, ainda mais bela: "Com essa, ele ficará satisfeito!" Mas, ao experimentá-la, Sigurd quebrou-a como a primeira, e irado disse ao ferreiro: "Você é um embusteiro ou um traidor?" Então ele se lembrou de sua mãe mostrando-lhe um dia os fragmentos da espada de seu pai; foi até lá pedi-los a ela, trouxe-os a Regin e ordenou-lhe: "Utilize agora o melhor de sua arte!" Resmungando, Regin lançou-se ao trabalho, e ao erguer da forja a espada já pronta, ela reluziu, como se labaredas de fogo saíssem de sua lâmina. "Entendo do meu ofício ou não?", perguntou ele. Sigurd apanhou a espada e golpeou-a sobre a bigorna; esta se partiu ao meio, e a espada, intacta, penetrou ainda profundamente na terra; ao puxá-la, Sigurd não notou nela quaisquer falhas ou rachaduras. "Esta espada parece boa!", disse Sigurd descendo em direção ao rio. Jogou nele um floco de lã fazendo a corrente empurrá-lo de encontro à lâmina: dividido em duas partes, o floco passou à direita e à esquerda da lâmina, como a água. Os olhos de Sigurd brilharam de alegria e coragem, e ele disse à espada: "Você vai se chamar Gram!"*[10]

Em diversas narrativas sobre heróis, é comum a espada possuir um significado de destaque. Ela é quase sempre de ouro, munida de uma inscrição e tem o cabo adornado com pedras preciosas e mágicas. Possui também um nome próprio: a espada do rei Arthur chamava-se Excalibur; as de Dietrich von Bern chamavam-se Nagelring e Eckesachs; e Sigurd chamou a sua de Gram. Tal como uma preciosidade difícil de ser alcançada, ela às vezes só é encontrada depois de uma longa procura num local secreto. A espada é dotada de sabedoria e poderes sobrenaturais, conhece o seu legítimo dono e torna-o invencível. Algumas vezes foi forjada por gigantes, outras por anões, ou – como no caso de Sigurd – trata-se da espada do pai morto.

O valor especial da espada reside talvez na união das qualidades "mágicas" essenciais do bastão, da clava e da lança e na ampliação da força para cortar, dividir e separar. É como se fosse a "quintessência" dessas armas; é a sua forma mais diferenciada.

O desenvolvimento da consciência humana, como se pode observar bem na criança, está ligado a ações "agressivas", tais como delimitação, desprendimento, separação, imposição da própria vontade e oposição (teimosia). A criança trabalha muito tempo com a "psicologia da clava", tem acessos de raiva, podendo, em sua fúria, destruir tudo à sua volta, e teria pouco escrúpulo em mandar "matar" por algum tempo o pai e a mãe. Desse modo, ela exercita as forças do seu Eu. Se tiver bons mestres, aprenderá ao longo da sua infância e juventude a manejar essas armas cada vez com mais habilidade, e acabará forjando a sua própria espada. Poderá assim distinguir melhor o que está dentro do que está fora, "o meu do seu", e o bem do mal. A consciência de si mesmo e do mundo torna-se confiável, otimista e realista.

Estreitamente ligada a esta capacidade de diferenciação há também a capacidade de decidir com vigor. Só pode se decidir quem é capaz de distinguir e avaliar diversas alternativas.

A espada torna-se assim um símbolo da capacidade vigorosa de decisão, da resolução, da coragem e da iniciativa. Os trechos a seguir, extraídos de uma revista de tevê, expressam isso muito bem. Com o título "O que nós todos podemos aprender de Boris e suas vitórias", o professor Stemme explica em detalhes algumas características "próprias da espada". Visto que o jogo de tênis é muito semelhante a uma luta de espada e a ascensão meteórica de Boris Becker atiçou em muitos jovens uma nova consciência heroica, as suas explanações se ajustam muito bem à nossa temática:

"Diz um provérbio: você pode cair, mas não permanecer deitado. Boris Becker caiu, errou a bola, recuperou-se com a velocidade de um raio, ainda atingiu a bola e pouco depois foi campeão em Wimbledon. Ao cair no chão, ele não abandonou nem por um segundo a bola difícil de pegar. O objeto-alvo de sua concentração e tensão interior era a bola. Todas as suas energias estavam dirigidas unicamente para ela. Nós todos muitas vezes cometemos o erro de dar algo muito rapidamente por perdido. Conversas interiores consigo mesmo durante alguns segundos podem nos desviar do sucesso ambicionado, pois elas retiram e consomem a energia do momento: "Passou!", "Não deu certo!", "Já era!" Boris Becker, porém, concentra-se em sua tarefa de maneira diferente: aqui, agora, neste momento, quero ser bom. Não só daqui a alguns segundos ou talvez em três minutos, ou porventura no próximo *set*.

Por isso, ele pôde ganhar no terceiro *set* – já dado por perdido, na final de Wimbledon.

A concentração de forças no momento – quem conseguir isso, sentirá também o sucesso no trabalho de casa, no seu posto de trabalho no escritório, ou na fábrica. Para altos executivos, essa forma de trabalho vale como princípio. Eles resolvem mesmo as pequenas tarefas com toda a energia e tomam decisões imediatas. Portanto, quem concentra suas energias no momento mais próximo ganha o jogo. E quem vence dessa maneira torna-se tranquilo, equilibrado, seguro de si. Não só na quadra de tênis. Toda pessoa enfrenta primeiro a si mesma, mesmo quando tem problemas com outra. Tem de superar inibições, excitações ou medos, antes de poder rechaçar o inimigo exterior."[11]

Baseado no fato de que a consciência humana e a identidade pessoal estão ligadas em larga medida à capacidade de distinção e à divisão em posições polares, é possível conceber a espada – que quase sempre tem dois gumes, além de ser capaz de fragmentar – como um símbolo do pensamento e da consciência. Sem uma capacidade bem formada para a distinção racional, nossa vida consistiria em um novelo desesperadamente embaraçado de percepções difusas, necessidades e sentimentos contraditórios, ideias não realistas e pensamentos confusos. Nossa existência se compararia a um labirinto, no qual vagaríamos sem rumo, ou a um caos escuro onde falta a luz ordenadora do conhecimento.

Conta-se como Alexandre, o Grande, resolveu o problema do nó górdio: o rei frígio, Górgios, havia atado um complicado nó num dos carros de combate consagrado a Zeus. Espalhou-se a saga de que aquele que conseguisse desatar o nó reinaria sobre a Ásia. Evidentemente, como não havia sido estabelecido com exatidão com quais meios isso teria de ocorrer, Alexandre, o Grande, supostamente no ano 333 antes da nossa era, cortou o tal nó com um vigoroso e único golpe de espada.

Quando, ainda jovem, ouvi essa história na escola, fiquei decepcionado. Essa solução me pareceu simples e drástica demais, e tive a impressão de que ela não fora muito inventiva. Algo semelhante, aliás, ocorreu com o proverbial "ovo de Colombo". Como resposta ao fato de que alguns dos presentes num banquete se vangloriavam dizendo que também teriam se alegrado com a descoberta do Novo Mundo, Colombo, segundo consta, deu-lhes a tarefa de colocar um ovo em pé sobre a mesa. Como não conseguiram, Colombo apanhou o ovo e colocou-o tão duramente sobre a mesa que a sua ponta afundou, podendo assim ficar em pé. Como criança, eu esperava realmente alguma coisa melhor de Colombo, alguma ação mágica ou um milagre.

Nessa época, eu sabia ainda muito pouco sobre os lados positivos dessa psicologia heroica. No caso de Alexandre, o Grande, imaginara que ele resolveria a tarefa com a ajuda de sua inteligência, de sua habilidade. Mas assim, simplesmente com a força bruta e uma espada?! O leitor versado em psicologia poderá diagnosticar sem dificuldade nesta minha reação a minha inibição agressiva. Contudo, justamente por isso, a solução de Alexandre me impressionou profundamente em toda a sua simplicidade. E ainda hoje posso até julgá-la digna de admiração. Ela possui sem dúvida algo de genial em si. Pessoas ajustadas e conformadas talvez tentassem resolver o problema pelos caminhos usuais, possivelmente "enroscando-se" ainda mais nele. Elas não ousam tomar uma decisão enérgica, fazendo algo que seria "inadmissível", no sentido dos nossos juízos e pensamentos coletivos. Bem ao contrário do homem criativo. Este encontra novas soluções precisamente por ousar fazer e pensar também o "inadmissível" e o que se tornou "tabu".

Sem dúvida, muitos desenvolvimentos neuróticos baseiam-se em nossa falta de coragem para distinguir, delimitar e separar, para a resolução e a decisão, pois isso significa outra vez ousadia e risco. Desse modo, preferimos continuar na segurança das nossas ligações familiares e nacionais, de nossos pontos de vista, preconceitos e normas habituais, e na confusão de relacionamentos indefinidos.

Ao lado desses aspectos existem ainda inúmeras outras indicações de que a espada pode ser entendida como um símbolo da consciência clara e da compreensão mais elevada. A psicologia budista, por exemplo, concebe a existência humana como uma espécie de "nó górdio", ou então como uma rede de entrelaçamentos e ligações dolorosas, na qual nos enredamos, apanhados pela aranha das ilusões, da vaidade, dos impulsos instintivos e da inconsciência. Por conseguinte, a espada recebe aqui aquele significado da consciência luminosa, que com a ajuda do poder redentor do conhecimento nos traz a libertação em relação às amarras da ignorância e nos faz despertar do sono do inconsciente. E quando Jesus diz de si mesmo: "Não vim para trazer a paz, mas a espada",[12] ele parece estar indicando também esse efeito redentor.

A maturidade de uma cultura e de uma sociedade humana evidencia-se sobretudo no seu esforço para proporcionar a todos os seus membros justiça e igualdade de direitos. Nesse sentido, o desenvolvimento da humanidade teve alguns progressos nos últimos milênios. Enquanto Jó precisou avisar seus amigos a respeito da espada vingadora de Deus, que exprime a sua ira incalculável e o seu arbítrio injusto,[13] a espada simboliza na jurisprudência moderna os atos objetivos de decidir, julgar e sentenciar.

Entretanto, para ser justo, devo acrescentar que o Velho Testamento contém também muitos exemplos de sabedoria, como os dez mandamentos de Moisés ou a bela história das sentenças de Salomão. Neste caso, a espada possui, aliás, o duplo significado de uma jurisprudência primitiva e sábia. Duas mulheres afirmavam ser a mãe da mesma criança. Salomão fez um teste psicológico de maternidade: mandou trazer uma espada e ordenou que dividissem a criança para que cada mãe recebesse uma metade. A mãe verdadeira revelou-se a Salomão ao desistir de sua metade em favor da criança. Desse modo, a espada tornou-se um símbolo da sabedoria de Salomão.

Depois de termos nos ocupado pormenorizadamente com o significado da espada, deve ter ficado evidente a importância deste símbolo. Enquanto preciosidade difícil de ganhar, ela indica o elevado valor que se relaciona, sem dúvida – depois de tudo o que vimos –, com a consciência e a identidade. O humanismo consciente começa com o homem que se identifica relativamente bem consigo mesmo. Por essa razão, poderíamos dizer – metaforicamente – que a primeira e principal etapa do processo de individuação consiste em forjar a própria espada da capacidade de resistência e da autoafirmação, da autonomia e da agressividade criativa, da concentração e da resolução firme, para que se possa encontrar e assegurar a própria identidade.

# A ARTE DO MANEJO DO ESCUDO

*Ao crescer e tornar-se homem, Perseu assumiu a tarefa de levar ao rei Polidectes a cabeça da górgona Medusa. As górgonas são três seres femininos com aparência amedrontadora. Na antiguidade, são representadas quase sempre com serpentes na cabeça e em volta dos quadris, com presas de javali, risos horríveis e a língua à mostra, com olhar fixo e mãos de bronze. Quem olhasse para o seu rosto ou fosse atingido pelos raios dos seus olhos se transformaria imediatamente em pedra. Diante da necessidade de decepar-lhe a cabeça – pois só assim a Medusa seria morta –, Perseu precisou recorrer ao apoio de Atena e de Hermes. Atena, a deusa da luta, da vitória e da sabedoria, deu-lhe um escudo refletor; Hermes, o mensageiro dos deuses e guia de almas, deu-lhe uma espada. Além disso, Perseu ainda precisou arranjar sandálias aladas, um capacete e uma bolsa mágica. Ao chegar e ver as górgonas dormindo, Perseu aproximou-se da Medusa sem olhar diretamente para ela, orientando-se pela imagem refletida em seu escudo, e decepou-lhe a cabeça. Conta-se também que nesse momento a deusa Atena guiou o braço de Perseu. Ele colocou a cabeça dela, que ainda mantinha seus efeitos petrificantes, em uma bolsa mágica e fugiu ajudado pelas sandálias aladas e pelo capacete que o tornava invisível.*

*Mais tarde, ao passar pela costa da Filístia, viu uma mulher nua, presa a um rochedo, e apaixonou-se por ela. Era Andrômeda; que ia ser sacrificada a um monstro marinho. Com a condição de fazer dela a sua esposa e retornar com ela para a Grécia, Perseu matou o monstro. Depois, com a ajuda da cabeça da Medusa, ele se livrou do até então noivo de Andrômeda, que veio fazer valer seus antigos direitos. Perseu fez com que ele e seus comparsas se transformassem em pedra, e retornou para casa. O rei Polidectes não acreditou no sucesso que Perseu dizia ter alcançado em sua missão; por isso, retirando a cabeça de górgona de sua bolsa, Perseu transformou o rei e toda a sua corte de descrentes em pedra. Por fim, consagrou o troféu à deusa Atena, que desde então traz a cabeça da górgona em seu escudo.*

Na maioria das histórias de herói, o escudo aparentemente passivo, embora abençoado, não desempenha um papel comparável ao da espada. Isso é fácil de compreender a partir da atitude heroica. Quando pensamos num escudo, logo o associamos principalmente à proteção, à defesa e à retirada. Por isso, nenhum herói gosta de se vangloriar da força do seu escudo, nem se orgulha de sua arte em manejá-lo. Para um pensamento heroico exagerado, o uso do escudo chega a parecer mesmo uma fraqueza.

A respeito de Hércules, por exemplo, fala-se que os deuses o cumularam dos mais variados presentes, antes de seus grandes feitos. Entre eles, havia também um escudo excepcional e inquebrável, com incrustações valiosas e munido de encantos protetores. Na realidade, porém, o herói quase não fez uso dele. Hércules – que aliás mais se aproxima da "psicologia da clava", brutal e direta – possuía tanta força que se julgava capaz de prescindir de um escudo. No entanto, quem sabe um deles poderia tê-lo protegido dos seus acessos de loucura e de raiva, pois, como logo veremos, o escudo oferece não apenas proteção contra os ataques de inimigos externos. Ele ajuda também o seu possuidor a se defender de perigos e ameaças do mundo interior.

Na verdade, a arte de manejar o escudo é pouco aparatosa, mas tem para nós o mais elevado valor. Para dominar a vida é preciso não apenas conhecimento, coragem e determinação, mas também a capacidade de superar a crítica, os reveses e as desilusões. Portanto, possuir um escudo protetor sólido e poder lidar habilmente com ele poderia significar em termos psicológicos o ato de estar firmemente ancorado no próprio centro, de ter encontrado um posicionamento fixo e ao mesmo tempo flexível, que permite reagir com prudência e bastante serenidade aos ataques dos nossos semelhantes e aos "golpes do destino", de modo que não nos afastem em demasia do nosso equilíbrio.

Na narrativa sobre Perseu, o escudo possui ainda outro significado muito profundo. Ele tem a capacidade de refletir, sendo utilizado para desviar o olhar petrificante e encantador da Medusa. Enquanto espelho, proporciona a Perseu a percepção refletida e objetiva do perigo, possibilitando-lhe uma distância emocional, para que ele possa dominar o medo e agir com decisão. Desse modo, a capacidade de um distanciamento objetivo concedido a ele pelo escudo refletor torna-se ao mesmo tempo proteção e arma.

No caso do olhar assustador da Medusa, trata-se de um símbolo de medos existenciais profundos que nos ameaçam de dentro ou de fora e paralisam o nosso processo de vida. Na verdade, o olho tem quase sempre um significado positivo simbolizando a consciência, o entendimento e o conhecimento, mas todas as épocas e todas as culturas atribuíram a ele também efeitos "mágicos" e negativos. Acreditava-se que pessoas com um "mau" olhar poderiam influenciar outras pessoas e animais, causar doenças e até matar. Ainda hoje, quando somos "atingidos" por um olhar agressivo, dizemos: "Se o olhar matasse ..." Com frequência temos muita dificuldade também de suportar por algum tempo o olhar firme e fixo de outra pessoa.

O amedrontador efeito do olhar concentrado em nós é uma antiquíssima herança evolucionária. É que, no mundo animal, ser fitado com intensidade quase sempre significa que um inimigo está concentrado num ser que tenciona devorar. Essa vivência ameaçadora acentua-se ainda mais pelo fato de que os olhos são acionados ao mesmo tempo que os instrumentos usados para matar e devorar (focinho, bico). Muitos animais mais fracos se aproveitam do medo instintivo do olhar fixo, e desenvolveram tipos de olhos grandes para fora do corpo, têm olhos tão acentuadamente salientes que intimidam seus inimigos.

Entretanto, para nós, homens, a fascinação mágica dos olhos baseia-se em outras causas que remontam à mais primitiva infância. Fitar o rosto da primeira pessoa que cuida de nós e ser fitado por ela tem um significado enorme. Na verdade, o contato corporal e auditivo também desempenha um importante papel, mas sobretudo o contato visual constante com os pais possibilita-nos desenvolver um sentimento relacionado com o tipo de pessoas que somos. O momento mais importante da nossa vida é quando estamos juntos do peito caloroso da mãe e sentimos o seu olhar amável e orgulhoso. Ao sermos olhados vivenciamos a nós mesmos.

Enquanto criança, dificilmente podemos adquirir outra identidade que não a que transmitimos através dos olhos e do rosto ao nosso meio ambiente. O modo com que os outros nos veem produz em larga medida a imagem de nós mesmos. Se os nossos semelhantes nos olham com amor, orgulho e admiração, nos consideraremos uma boa pessoa; se não nos veem e não nos percebem, acreditaremos que não somos nada nem ninguém; e se olham com repulsa, antipatia e desprezo, nos veremos como maus, ruins e fracassados. No olhar da primeira pessoa da nossa vida estão ocultos o brilho e a miséria da nossa existência.

Numa fase posterior da infância, o olhar dos pais também nos diz o que é bom e o que é ruim. Muitos pais sentem orgulho em poder dirigir os filhos com o poder do olhar. Todavia, quase nunca se trata aqui do olhar amoroso e afortunado, mas do olhar severo, punitivo e "mau", que atormenta a criança e a persegue em seus pesadelos. Se o olhar dos nossos pais era muito controlador, penetrante e demasiado perscrutador, teremos dificuldade mais tarde de encontrar a nós mesmos, pois a formação da identidade necessita de delimitação e, portanto, de intimidade e segredo. Sentir-nos-emos então a vida inteira observados por um olho onividente e onisciente, e todas as nossas ações se farão acompanhar pelo peso de uma consciência demasiado vigilante, por uma profunda insegurança e por um torturante sentimento de culpa e de vergonha.

Uma mulher de quarenta anos, casada, mas bastante insatisfeita com o casamento, no qual ocultava-se muita vida espontânea sob uma camada excessivamente grossa de escrúpulos morais e princípios familiares, teve o seguinte sonho:

*Aluguei em segredo um pequeno quarto num sótão. Encontrei-me lá com um jovem. Deitamos na cama carinhosamente abraçados, e exatamente no momento em que começamos a fazer amor, a porta se abriu e minha mãe entrou. Ela me olhou surpresa e disse: "Menina, menina, o que está fazendo aí!?"*

Essa mãe interior seguiu os passos da mulher até na vida cotidiana, criticando suas atitudes, incitando-a constantemente a cumprir os deveres e a trabalhar e fazendo dos seus menores prazeres um tormento. Como nesta mulher, a concepção de medo atua também em inúmeras outras pessoas – "Se os meus pais me vissem agora..." ou "Como pareço aos olhos das outras pessoas?" –, da mesma forma que a cabeça encantadora da Medusa paralisa todo o desenvolvimento autônomo.

De que maneira um escudo refletor, semelhante ao que Perseu recebeu de Atena, a deusa da sabedoria, poderia nos livrar desse pesadelo? Um espelho reflete as coisas como elas são. Ao contrário de nós, homens, que percebemos o mundo de maneira muito seletiva e falseamos os dados percebidos através dos nossos interesses, motivações e sentimentos, quase sempre inconscientes, o espelho é em si mesmo desinteressado e imparcial, objetivo e neutro. Portanto, ele simboliza, de um lado, o conhecimento e a clareza espiritual, de outro, uma postura específica de contemplação objetiva, de uma observação aberta das coisas como elas são.

Se for verdade, que sem uma implicação e um envolvimento emocional não existe experiência profunda de si mesmo, então também é válido afirmar que não existe individuação e mudança sem a capacidade de observar de uma certa distância o mais objetivamente possível. O caminho do herói necessita de uma consciência crítica da realidade, relacionada tanto com o mundo exterior quanto com o nosso mundo interior. Precisamos do escudo refletor da contemplação objetiva para poder distinguir razoavelmente bem a realidade exterior da realidade anímica, das nossas concepções subjetivas e dos fenômenos psíquicos. Se falharmos, viveremos num mundo de ilusões insolúveis. Com toda a probabilidade, acreditaremos então que o mundo nos fita com o semblante horrível da Medusa, sem notar que a Medusa é um medo interior desenvolvido um dia por nós e do qual também podemos nos libertar.

O primeiro passo para uma boa consciência da realidade é o autoconhecimento. Esforçando-nos sem cessar para perceber, sentir, expressar e formular – em suma, para "objetivar" – desejos, fantasias, medos e sentimentos quase imprevistos e pouco admitidos, desenvolveremos aos poucos a capacidade de distanciamento, extremamente importante para o domínio da vida. Isto, porém, não pode ser confundido com o distanciamento neurótico de si mesmo, efetuado através da cisão e da repressão de sentimentos essenciais, e que leva ao embotamento e à apatia. A capacidade madura de distanciamento, ao contrário, distingue-se justamente pelo fato de que a particularidade do próprio ser pode ser percebida cada vez com maior clareza. Em função da capacidade do seu "escudo refletor", o Eu possui o poder de olhar nos olhos de toda a verdade da sua personalidade.

O segundo passo para a consciência da realidade reside no esforço para a objetividade diante do mundo exterior. Em vez de ficarmos presos a opiniões e preconceitos duvidosos sobre nossos semelhantes e os acontecimentos mundanos, podemos polir e lustrar nosso escudo refletor, perguntando-nos reiteradamente com curiosidade: "Como isso funciona de fato?" ou "O que o meu semelhante quer realmente me dizer?" Isso equivale ao procedimento de um bom cientista, criminalista ou juiz, que não pronuncia uma sentença antes de conhecer os detalhes do caso. É sem dúvida estranho: gostamos de nos informar sobre intrincados casos criminais e sentimos prazer com a sagacidade e o pensamento claro do detetive. Deliciamo-nos em "trazer à tona" junto com ele algo escondido. Todavia, na nossa vida cotidiana, onde existem tantos problemas insolúveis e interessantes, preferimos continuar com os nossos pensamentos padronizados, com nossos preconceitos mais comuns. Quanto a nossa vida poderia ser mais excitante se dirigíssemos sempre o nosso escudo refletor do conhecimento objetivo ora para dentro, ora para fora, com a frase: "Não faço a mínima ideia a respeito. Eu gostaria de entender agora do que realmente se trata!" Se essa postura se tornasse um hábito nosso, sobretudo nas situações difíceis da vida, poderíamos virar campeões na arte do manejo do escudo. Mesmo nas situações em que somos atacados, uma postura assim nos propicia uma visão impessoal e pouco vulnerável, capaz de extrair o melhor da situação. Toda a nossa atenção e energia, normalmente dispersas por afetos vigorosos, defesas e justificativas, poderiam se concentrar por inteiro no problema.

O princípio básico da arte do manejo do escudo consiste, portanto, em não se deixar envolver pela ação ou emoção do "adversário". Isso funciona, por exemplo, quando nos dirigimos a ele com interesse, tentando levar uma conversa tranquila, do mesmo modo que faríamos diante de um cão bravo rosnando. Vamos imaginar uma situação na qual outra pessoa inesperadamente nos ataca com uma crítica. Em vez de nos justificarmos ou partirmos para o contra-ataque, tentemos modificar o ponto de vista do nosso Eu atingido e tratemos de nos mudar com curiosidade para o acampamento inimigo, perguntando a nós mesmos: "O que ele está querendo me dizer? O que posso aprender de novo?", e perguntando a ele: "Por que você acha isso?" Reagir assim não é absolutamente fácil, mas tem um efeito estupendo. O primeiro ataque foi repelido e temos tempo então para respirar e ganhar distância.

Quando a outra pessoa reapresentar seus argumentos críticos, tentaremos, tanto quanto possível, entendê-los. Continuaremos perguntando e não desistiremos enquanto não soubermos o que ela queria dizer. Isto também é bastante difícil, porque é desagradável ouvir algo negativo sobre si mesmo e permanecer tranquilo. Mas depois de alguma prática conseguiremos.

No entanto, quase sempre estragamos tudo no passo seguinte, ao passar – aberta ou veladamente – para o contra-ataque. Justificamo-nos tentando transmitir ao outro que o seu argumento era fraco e que tinha pouco a ver conosco. Muitos parceiros que na primeira etapa dos treinamentos de comunicação aprenderam a ouvir com atenção, fracassam na segunda etapa, que consiste em deixar ao outro a sua dignidade e o direito à sua maneira de ver. Eles dizem então, por exemplo: "Entendi o que você está dizendo, mas acho que isso é apenas a impressão que você tem de mim" – e assim transmitem ao outro que a impressão dele nada tem a ver com a realidade e não passa de um problema dele – ou, pior ainda, censuram-no, dizendo que a crítica dele é uma projeção de facetas inconscientes da sua psique. Desse modo, tornam impossível qualquer entendimento. Naturalmente, o que o outro diz de nós, o que o incomoda em nós contém sempre a sua maneira de sentir e tem algo a ver com as suas projeções e os seus próprios problemas. Esses fatos isolados, porém, não chegam a afirmar se ele não poderia ter razão com a sua crítica.

O próximo passo seria, portanto, reconhecer com seriedade o ponto de vista do adversário, e de modo algum menosprezá-lo ou diminuí-lo.

Devemos dizer-lhe que ele tem motivos justos para a sua argumentação e que estamos interessados em esclarecer o assunto da melhor maneira possível. Se tivermos certeza de não incorrer apenas em justificativas, poderemos então expor nossa opinião, a partir dos nossos pontos de vista, e negociar com ele. Mas isso às vezes também é prematuro. É melhor aguardar e tomar distância. Poderíamos dizer, por exemplo: "Isso me surpreende. Acho que não posso dizer nada agora. Preciso refletir a respeito primeiro. É melhor voltarmos a conversar amanhã." Outra possibilidade é perguntar como se deveria então continuar procedendo com o assunto, se ele está interessado em refletir mais a respeito e se gostaria de conhecer o nosso ponto de vista. Deixamos o nosso interlocutor em plena atividades mas temos as rédeas na mão.

Vejo na força objetivada do escudo refletor uma das capacidades mais maduras do ser humano. Se existe uma capacidade de banir os demônios do medo, da ilusão e da discórdia, só pode ser esta. Ela forma a base para o amor à verdade, para a justiça, a tolerância, a bondade e a sabedoria. Isso parece estar expresso também no simbolismo do calar, tal como se vê nas antigas prescrições de iniciação e instruções para meditação.

Num dos capítulos anteriores, encontramos a fórmula quádrupla do herói: "Saber, ousar, querer, calar." Pode-se comparar facilmente a capacidade de calar, tal como é exigida do herói, com a arte do manejo do escudo. O ato de calar possui muitas funções e aspectos semelhantes. Pode servir à autoproteção, ao disfarce, à retirada, à delimitação e à atitude secreta necessária diante da ingerência perturbadora do outro. Pode indicar também uma elevada medida de autocontrole, através do qual é possível suportar as próprias tensões internas, sem reprimi-las ou refutá-las às cegas. Em sua forma mais elevada,

Lutz Müller

o silêncio do herói expressa um ponto de vista suprapessoal de objetividade, serenidade e afirmação da vida. Abandonando a sisudez, a singularidade e a importância desta medida, surge um estado de abertura e liberdade espiritual que apazigua a autodefesa, as justificativas e os diálogos interiores perturbadores. O espírito torna-se tranquilo, porque há cada vez menos coisas pessoais para defender. A tarefa suprapessoal passa a ser o centro das atenções.

# ENCONTRAR A
# FORÇA ANIMAL

*Dias depois, Sigurd foi à floresta, onde os cavalos do rei estavam pastando, e lá encontrou um homem de barba grisalha que ele não conhecia. O velho perguntou ao rapaz para onde ele ia, e Sigurd respondeu: "Escolher um cavalo. Não quer me ajudar?" Andaram até encontrar os cavalos, e o velho aconselhou o rapaz: "Leve-os para o rio; então veremos qual é o melhor!" Fizeram isso e, quando a manada chegou à correnteza*

*caudalosa, todos retornaram; menos um: um garanhão
cinza, jovem, forte, que ninguém ainda havia montado. Brincando, ele atravessou a torrente; fazendo o
giro voltou e saltou à terra relinchando. Sigurd segu-
rou-o, e o velho disse: "Esse é o cavalo que procuro:
descende de Sleipnir, o garanhão de Odin; e será o
melhor de todos os cavalos." E então desapareceu.
Sigurd levou o cavalo para casa e chamou-o de Grani.*[14]

Antes de se dedicar à verdadeira missão, o herói muitas
vezes tem de efetuar uma série de "trabalhos preliminares",
que poderiam ser vistos também como uma espécie de "prova
de competência". Nesses trabalhos preliminares, ele adquire
o seu último "adestramento" heroico. Trata-se quase sempre
de matar monstros e animais perigosos. O herói babilônico
Gilgamesch e seu irmão-sombra Enkidu, por exemplo, apu-
nhalaram o touro celeste enviado pela irada deusa Ischtar;
Hércules estrangulou ainda no berço duas serpentes manda-
das por Hera para matá-lo, e com dezessete anos abateu um
leão com uma só mão. Contam-se coisas algo semelhantes de
muitos outros heróis. Em muitos casos, não é possível distinguir com clareza esses trabalhos preliminares do trabalho
principal, visto que nele também se trata quase sempre de
vencer um animal monstruoso. Desse modo, em seus doze trabalhos principais, Hércules tem de derrotar diversos animais

selvagens: um leão violento, a serpente aquática Hidra, de várias cabeças, uma corça de cornos de ouro, um javali gigante e o touro de Creta. Abstraindo aqui o significado histórico desses feitos, enquanto rituais de iniciação e de casamento, de culto ao rei e fertilidade, devemos nos perguntar o que essas figuras de animais expressam simbolicamente, quando aparecem em nossos sonhos e fantasias.

E elas aparecem relativamente rápido, assim que damos os primeiros passos ao nos abrirmos para o mundo interior anímico e inconsciente. Cães negros e grandes nos perseguem e mordem; uma serpente nos espreita no canto escuro de um quarto; um touro enfurecido ataca-nos com os cornos abaixados, e uma lula gigantesca aloja-se em nossa banheira à espera da presa.

A princípio, esses animais representam habitualmente os nossos medos e emoções ameaçadoras, que surgem quando tentamos nos aproximar da nossa realidade interior inconsciente. Com frequência temos de reprimir, por razões existenciais, os nossos verdadeiros sentimentos e desejos ou ocultá-los diante dos outros. O mesmo medo profundo, que antes levava à defesa e à dissimulação dessas facetas do nosso ser, mobiliza-se então quando queremos nos defrontar com elas. Elas nos aparecem como animais superpoderosos, devoradores, assassinos, aos quais estamos expostos sem proteção. Só aos poucos, à medida que vamos ganhando confiança em nós mesmos e ficando cada vez mais preparados para nos aceitar, sem humilhações, críticas ou condenações, é que aprendemos a examinar e conhecer mais de perto esses medos e a perceber suas origens. Dessa forma, domamos os animais selvagens dentro de nós. Aprender a lidar com o medo diante da nossa realidade psíquica é por isso um dos "trabalhos preliminares" necessários no processo de individuação.

Entretanto, os animais não simbolizam apenas os nossos medos superpoderosos e instintivos diante de conteúdos psíquicos reprimidos e oprimidos; eles podem representar também esses próprios conteúdos. Nesse caso sobretudo, parece tratar-se sempre de complexos e necessidades vitais, físicas e instintivas, apanhando-nos de maneira total.

Desde épocas remotas, admiramos no touro a sua vitalidade selvagem e indomável, a sua potência e o seu ímpeto procriador, e tememos a sua agressividade massacrante. Por essas razões, ele foi considerado em épocas antigas o grande fecundador e portador da força vital, comparado ao estrondo de uma torrente. Superá-lo significava superar a sua destrutividade, tornando útil para o homem a sua fertilidade. Por isso na religião de Mitra, por exemplo, os cereais surgiram da medula espinhal do touro primitivo morto, e a videira, do seu sangue. Muitos cultos antigos representavam o ato de domar e vencer o touro.

Do mesmo modo admiramos a força do leão. Sua aparência majestosa, seu olhar intenso, seu rugido estrondoso fazem

76          O Herói

dele o "rei dos animais". Em virtude desse "aspecto nobre", de sua juba semelhante aos raios de sol e de sua pele amarelo--ouro, o leão muitas vezes foi associado ao Sol e a figuras divinas, o que, por sua vez, criou um estreito relacionamento com o herói, cujo símbolo fundamental também é o Sol. Comparado com o fogo, expressa-se o seu aspecto dinâmico, fervorosamente instintivo e a sua elevada intensidade emocional. Está sempre presente em brasões, representando a força, a coragem e o poder. Superá-lo quer dizer simplesmente integrar o lado animal, já que ele é o animal supremo.

Em Hércules, essa integração expressa-se claramente no fato de ele fazer da pele do leão vencido a sua capa. Desse modo, Hércules penetra simbolicamente no animal poderoso assumindo a sua força. No entanto, existem outros símbolos de integração. Ficaremos sabendo mais tarde que Sigurd é capaz de entender, através da essência do coração do dragão Fafnir, morto por ele, a linguagem dos pássaros, encontrando assim um acesso à sabedoria da natureza. Ao comer o coração do dragão, ele sente a força e a coragem atravessando-o duplamente. Seu herói-irmão germânico, Siegfried, banha-se no sangue do dragão, tornando-se assim invulnerável, com exceção de um pequeno ponto nas costas. No xamanismo, que mostra estreitos relacionamentos com o caminho do herói e com o processo de individuação, o xamã submete-se a longos rituais e viagens anímicas, a fim de encontrar sua "força animal". Esta "força animal" liga-nos ao mundo animal e, nesse intercâmbio, ele obtém proteção, força, saúde e sabedoria.

Através do processo psíquico de integração, as energias anteriormente ligadas às figuras de animais, atuando como inimigos e, assim, separadas da consciência, nos tornam disponíveis para uma vida mais totalizante. Visto que os animais vivem a partir de uma totalidade instintiva original e não estão em desacordo consigo mesmos, eles sempre indicam em nossos sonhos a nossa própria totalidade potencial, que é uma unidade entre corpo, alma e espírito. Nossa civilização tecnológica, porém, deixa-nos pouquíssimo para a vivência saudável da nossa alma animal. De fato, muitas pessoas parecem estar esquecidas de que se compõem principalmente de um corpo. Desse modo, negligenciam suas necessidades corporais: refreiam e planejam a alimentação de acordo com pontos de vista racionais, sem se perguntarem do que realmente gostam; não cedem ao prazer do próprio corpo pelo movimento, pela corrida e pela dança; não seguem as fantasias que inspiram seus desejos sexuais; dormem e não descansam como precisam; não reagem contra o estresse e não encontram nenhuma válvula de escape natural para a sua agressividade.

Aprendo muito com os patos no lago diante da minha residência. Quando dois machos brigam por um pedacinho de pão ou pelo seu território, levam um bom tempo até se acalmar e se livrarem da excitação. Põem-se de pé e batem com força as asas; enfiam várias vezes a cabeça dentro da água, como se tivessem de refrescá-la, e se sacodem com vigor reiteradas vezes. Não se envergonham por terem se excitado ou por terem sentido medo. Mostram isso com clareza. Imagino então como seria se pudéssemos nos comportar de maneira semelhante em situações de estresse. Em vez de agirmos assim, como se nada disso nos importasse, como se estivéssemos indiferentes, acima de toda a situação; em vez de resguardar o corpo e controlar a respiração, poderíamos anunciar: "Bem, agora preciso reagir!", e então correr em volta do quarteirão; ou fazer uma série de fortes flexões e aspirações profundas; ou subir e descer a escada algumas vezes correndo; ou tomar uma ducha fria. Mas a nossa postura heroico-negativa impede uma tal reação espontânea. Em vez de entender a nossa alma animal e dar-lhe espaço vital suficiente para que possa cumprir a sua função, enquanto base da nossa vida, achamos que temos de matá-la, tal como fizeram muitos dos heróis no início dos tempos. Hoje, porém, isso deixou de ser uma solução boa e saudável. Ela indica também uma consciência do Eu relativamente fraca.

Para um Eu pouco desenvolvido, o contato com os impulsos e afetos do nosso organismo é realmente muito ameaçador. Tem-se sempre o receio de ser possuído por eles e de sucumbir a eles. Quase todos nós já vivenciamos o quanto a fome intensa, a sexualidade não vivida e a raiva represada podem nos incomodar. Por isso, a solução mais próxima é suprimir o corpo com seus afetos, tentações e desejos, tal como muitas culturas e sistemas religiosos recomendam. Contudo, assim também se restringe ao mesmo tempo a vivacidade espiritual e física. Nenhum espírito vivo consegue morar num corpo debilitado, castigado e enfraquecido. Vivemos apenas com uma fração da nossa força, pois o corpo é o fundamento da nossa vida.

Uma senhora de meia-idade com uma estrutura de personalidade forçada e característica contou-me numa única conversa de aconselhamento o seguinte sonho:

*Caminho ao longo de uma rua num vilarejo. Ouço um gemido e um lamento horríveis vindos de um estábulo. Olho para dentro e vejo animais enfraquecidos – vacas, cavalos, porcos – acorrentados, deitados em meio ao seu sangue e excrementos, quase mortos.*

Fiquei muito chocado ao ouvir este sonho. Parecia-me não dar um diagnóstico bom a respeito de como a mulher lidava com a sua alma animal, enquanto base instintivo-vegetativa da sua vida. Seu desenvolvimento posterior, que não pude acompanhar terapeuticamente, revelou então a perigosa ameaça psíquica (tendência à depressão e ao suicídio).

A melhor solução é fazer da nossa alma animal um amigo, atentar para a nossa sabedoria instintiva e deixar-se levar por ela durante a vida. Um jovem com medos sexuais sonhou o seguinte:

*Eu estava cavalgando um cavalo dócil por uma região desconhecida. Sentia-me surpreso em ver como cavalgava bem, apesar de nunca ter aprendido. Quando a trilha ficou impraticável, desci do cavalo e continuei a pé conduzindo o animal pela rédea. De repente, o cavalo se transformou – devia ser uma égua – em uma jovem que pretendia continuar me acompanhando e me conduzindo.*

É possível deduzir daí uma solução melhor. A imagem da unidade orgânica entre cavalo e cavaleiro é um símbolo da união bem-sucedida entre corpo, alma e espírito. Abstraindo da possibilidade de interpretação sexual absolutamente evidente e bastante acertada – um jovem parece aprender a "cavalgar"; nisso o cavalo revela-se como mulher –, o sonho parece indicar também uma estreita alternância de relacionamento entre o cultivo da vivacidade animal e o acesso ao próprio lado "feminino". No sonho, o cavalo transforma-se numa jovem. Evidentemente, a corporeidade e a feminilidade aparecem aqui tão estreitamente ligadas que se superpõem, ou seja, o domínio de uma acarreta a diferenciação da outra. Mas, visto que esse é um dos objetivos da "luta com o dragão" – libertar os prisioneiros do poder do monstro –, vamos tratar mais tarde dos detalhes da diferenciação do feminino.

Uma integração bem-sucedida da alma animal é belamente descrita no capítulo introdutório da narrativa de Sigurd. O velho que ajuda Sigurd a escolher o cavalo é uma personificação da figura arquetípica do "velho sábio". Ele representa aquela inteligência condutora e organizadora do Si-mesmo que governa o nosso organismo. Via de regra, essa inteligência atua silenciosamente e às escondidas, e nós não a percebemos. Contudo, nas situações perigosas, sua influência reguladora pode tornar-se mais claramente perceptível; por exemplo, nas fantasias e pressentimentos que se impõem a nós, nos humores e desejos inexplicáveis ou mesmo nos sonhos, onde ela aparece representada por uma pessoa com conhecimentos superiores, anciã e sábia, que surge de repente para desaparecer em seguida. A relação entre o velho sábio e o cavalo no episódio acima é confirmada pela concepção da psicologia profunda de que a produção de um relacionamento positivo com o próprio mundo corporal e instintivo representa um passo decisivo na realização do Si-mesmo.

# O HERÓI E O SEU PERIGOSO
## IRMÃO-SOMBRA

*Quando ele se aproximou,*
*Enkidu posicionou-se na rua*
*Impedindo o caminho de Gilgamesch (...)*
*Chocaram-se no mercado da cidade,*
*Enkidu travou o portão com o pé,*
*e não deixou que Gilgamesch entrasse.*
*Então os dois se atracaram,*
*ajoelhando-se como touros,*

*arrebentaram o umbral da porta,*

*e as paredes tremeram!*

*Quando Gilgamesch caiu de joelhos,*

*o pé junto ao chão –*

*sua ira se dissipou, (...)*

*Eles se beijaram*

*e ficaram amigos.*[15]

No capítulo sobre o drama da criança heroica, nos confrontamos com a dupla estrutura do herói que determina profundamente a sua vivência e o seu comportamento heroico. Por um lado, desde o princípio, o herói é eleito o maior pela sua origem e talento; por outro lado, ele muitas vezes é rejeitado e desprezado antes e depois do nascimento. Sua primeira infância está sob a maldição do perigo e da ameaça constante. Essa duplicidade de sua primeira situação de vida corresponde à duplicidade do seu caráter: ora ele é o herói luminoso, radiante, amigável, defendendo a conservação e o desenvolvimento de estados vitais positivos; ora ele é capaz de se tornar uma pessoa calculista, colérica, egoísta, sedenta de poder, violenta e pronta para se enfurecer de maneira cruel e sádica por uma "boa" causa, tal como as forças inimigas que ele se propôs superar.

Quando uma pessoa talentosa e inteligente fica exposta na infância a grandes medos e humilhações, é bem possível ocorrer então que ela empregue sua capacidade não apenas de maneira construtiva, mas que as coloque também a serviço de tendências inconscientes para o poder e a vingança, procedendo com seus semelhantes do mesmo modo que procederam com ela um dia. Encontramos esses desenvolvimentos de maneira bastante evidente em assassinos talentosos, em muitos anti-heróis da história, em tiranos da antiguidade, em conquistadores do início da Idade Moderna e em ditadores do século XX.[16]

A. Miller, por exemplo, esclareceu muito bem o quanto o drama da criança heroica se consumou precisamente na pessoa de Hitler. A criança humilhada, espancada, oprimida, mas talentosa, repete e encena mais tarde, com o povo alemão e contra os judeus, o sofrimento surdo de sua infância.[17] Entretanto, ele só conseguia isso porque o próprio povo alemão estava disposto a coadjuvar nesse drama, já que ele também se sentia uma criança humilhada: "O Führer ordena – nós obedecemos!" O líder e os liderados formam juntos figuras inter-relacionadas e com exigências mútuas de uma tragédia inconsciente e monstruosa que as pessoas representam há séculos e que ainda não aprenderam a compreender.

Além disso, as fantasias arquetípicas, sobretudo as fantasias de heróis e de salvadores da humanidade, têm um "conteúdo de imaginação" e de sugestão muito forte. Multidões e povos inteiros podem sucumbir a ele, como numa epidemia, e considerarem-se o povo escolhido. Vivenciamos os efeitos catastróficos de um tal delírio coletivo no Terceiro Reich, no qual nos foi exibido todo o leque do pensamento heroico de forma comovente, dos senhores e super-homens arianos, passando pela ideologia do "viva a vitória", ao "Reich de mil anos" e a todas as concepções totalizantes da "vitória final" e da "solução final".

Os antigos símbolos básicos dos heróis emergiram sob um novo brilho sangrento: o sol na suástica (a suástica é um símbolo antigo e muito difundido do percurso solar, da renovação e do renascimento), a luz nos *slogans* do tipo "desperte, Alemanha"; o falo nas tropas de choque, de assalto e de luta e no braço erguido na saudação a Hitler; o inimigo mortal a ser vencido e o escuro dragão do caos no bolchevismo e no judaísmo.

Em muitas histórias míticas, o duplo caráter do herói se expressa no seu próprio comportamento. Hércules, por exemplo, é descrito como colérico, violento e teimoso. Desse modo, encolerizado, atirou a lira na cabeça do seu mestre Lino, matando-o, porque ele – insatisfeito com a execução de Hércules – o havia castigado. Uma outra vez, num acesso de loucura, matou três dos seus filhos e a mulher. Por trás dessas reações de Hércules percebemos toda a tragédia do seu trauma de infância, o seu desespero e a sua fúria ilimitada e indomável.

Em outros mitos, esse caráter duplo se mostra no aparecimento de um irmão (gêmeo) ou de um inimigo igualmente forte. O adversário quase sempre é vencido pelo herói depois de uma luta longa e difícil, ou a luta termina empatada. Nos conflitos com final desfavorável, os dois não se reconciliam, embora permaneçam ligados pelo destino, tal como se vê na relação entre Jesus e Satanás, o Anticristo.

Justamente na história do Cristianismo percebe-se como é difícil para nós, às vezes até mesmo insolucionável, o problema da sombra, mesmo nas ideias essencialmente humanas, pelas quais pessoas importantes e exemplares se sacrificaram: começando com uma religião empenhada em trazer às pessoas o amor, a paz, a redenção do sofrimento, e pregando a humildade, seus seguidores acabaram sucumbindo a uma sombra verdadeiramente satânica, sem hesitar em fazer uso da violência, quando se tratava de impor suas concepções aos infiéis ou hereges e de defender ou ampliar seu poder. Eles pregavam com o fogo e a espada, organizando cruzadas e a inquisição, perseguindo bruxas e hereges. Quase nenhuma outra religião trouxe tanto sangue e sofrimento como ela, que atuava em nome de Cristo e sob o signo do Senhor.

O que nos impressiona tanto nos mitos e na história da humanidade é a ligação bastante profunda entre o ato de sucumbir à sombra da violência e do poder e a criança humilhada e desprezada dentro de nós. Percebemos essa mesma relação tão carregada de sofrimento no nosso cotidiano. Por trás de toda a "demência masculina" da nossa sociedade patriarcal, com suas imposições de sucesso e desempenho, com sua agitação fatal, seu potencial de apegar-se a determinados comportamentos, seu desprezo pelos semelhantes, pelos animais e pelo meio ambiente, vemos os olhos amedrontados e tristes das crianças atormentadas por sentimentos de inferioridade e que nunca puderam amar a si mesmas como realmente são. Por trás da intolerância, da intransigência, da contínua obrigação de criticar, da sisudez e da importância desmedida, vemos a criança, que, por um lado, nunca é ouvida com compreensão nem levada a sério e, por outro lado, tem destruídas sua franqueza original, sua disposição para o aprendizado e sua alegria de viver, de modo a deixar de perceber a beleza da vida. E, atrás da contínua obrigação de provar a grandeza, o poder e a força, encontramos crianças impossibilitadas de confessar a própria fraqueza, o anseio por um amor compreensivo e pela independência.

Nossa sombra heroica de poder sabe se dissimular, mesmo com a roupagem do amor ao próximo cheio de sacrifícios e da ajuda desinteressada. Conhecemos na psicologia a "síndrome da ajuda": trata-se de comportamentos e posturas inconscientes, típicas em inúmeras pessoas com profissões que prestam ajuda – médicos, psicoterapeutas, professores, assistentes sociais, curas, mas também muitos pais e mães.[18] W. Schmidbauer ilustra a "síndrome da ajuda" baseando-se num sonho típico. O sonhador pretende montar junto com outras pessoas um sino na casa de um professor. Ele vê diante de si a alta fachada da casa. Num alpendre, ouve alguém chorar baixinho e descobre em meio às tralhas e às teias de aranha um bebê magro, quase morto de sede. Essas imagens descrevem com muita expressividade a situação psíquica de alguém com a "síndrome da ajuda": um bebê abandonado e esfomeado por trás de uma fachada forte e suntuosa.[19]

Estamos lidando aqui com dois aspectos da sombra, quase sempre inconscientes à pessoa prestativa: o primeiro é a fachada forte e suntuosa. As pessoas prestativas tendem a forjar para si mesmas e para os outros a aparência de superioridade, soberania e força próprias do herói. Elas tentam ser pessoas ideais e perfeitas, no sentido psicológico ou moral, defendendo assim a sua própria fraqueza e desamparo. Isso torna difícil para elas aceitar a ajuda de outras pessoas, confessar seus próprios erros, aprender alguma coisa das pessoas desamparadas que são de sua confiança e aceitá-las como seus iguais.

O segundo aspecto da sombra, também quase sempre inconsciente, é simbolizado, no sonho acima, pelo bebê abandonado. Em geral, a pessoa prestativa nada sabe das suas próprias necessidades infantis, de seu anseio por reconhecimento, aceitação, contato, comunicação, consideração e amor. Todavia, este anseio, apesar de inconsciente, pode ser tão forte que ela se sacrifica em sua profissão, extenuando-se por completo. Na consideração dada ao outro, ela o trata como gostaria de ser tratada. Visto que desse modo tenta inconscientemente ajudar a si própria, embora sem admitir sua necessidade de tratamento, ocorre com ela – quando ocorre – apenas uma insignificante retomada das suas próprias dificuldades. Muitas vezes, isso torna difícil para ela acolher outros processos e soluções de problemas, que ela própria não conseguiu concretizar. Será tentada, então, a continuar conservando a dependência do seu protegido ou a provar-lhe que "continua" tendo determinadas perturbações e problemas. Além disso, através da dependência de quem procura ajuda, a pessoa prestativa pode facilmente realizar sua necessidade de poder, de dominação e superioridade, de maneira mais ou menos aberta. Ela controla e determina consideravelmente os encontros; por meio de manipulações, interpretações, conselhos e esclarecimentos pode levar seu interlocutor a fazer o que corresponde às suas próprias necessidades secretas. Com frequência, a entrega e a fraqueza do outro fortalecem a autoestima da pessoa prestativa de forma tão perigosa, que ela realmente começa a se considerar onisciente e onipotente. Com extrema facilidade, incorre então na fantasia de ser uma figura paternal ou maternal infalível, um grande mago, um curandeiro salvador ou um redentor.

O perigo, tanto social como pessoal, de sucumbir à sombra do herói é muito grande, pois a sombra é extraordinariamente sedutora e muito bem apropriada para encobrir nossos sentimentos inconscientes de inferioridade, finitude e dependência. Nem os heróis míticos conseguiram escapar dela. Justamente quando acreditavam tê-la matado ou vencido é que mais caíam em sua esfera secreta de poder.

Mas existem também desenvolvimentos mais favoráveis. Em muitos casos, uma profunda amizade une o herói e o seu adversário depois de um confronto violento. Um exemplo disso encontra-se na epopeia de Gilgamesch, da qual lemos um trecho. Conta-se que Gilgamesch era tão indômito e arrojado que não dava sossego à cidade de Uruk, desafiando sem cessar os homens à luta e ao combate, até que os habitantes de Uruk se queixaram aos deuses. A deusa Aruru criou então Enkidu, uma espécie de homem animal, de cabelos longos e pele grossa, com força e tamanho equivalentes às de Gilgamesch, para que ambos ficassem lutando entre si, deixando os habitantes de Uruk em paz. Gilgamesch e Enkidu se encontraram no mercado. Enkidu postou-se à sua frente impedindo-lhe a passagem pelo portão do mercado. Lutaram até a exaustão e depois ficaram amigos.

Um outro belo exemplo é o encontro do jovem rei Arthur com Gawan. Gawan é o filho de Orkney, que sente inveja do poder e do brilho de Arthur e, junto com mais dois reis, o desafiaram para uma luta.

*Uma matança horrível começou. As tropas de Arthur romperam as fileiras demasiado compactas do inimigo; eles estavam tão juntos que se estorvavam mutuamente ao manejar as espadas, e quando o sol declinou, a vitória ficou a um passo do jovem rei. No final, sobraram*

*apenas dois combatentes em pé como duas colunas:
eram o rei de Orkney e seu filho Gawan. Foi o momento
em que Arthur atingiu pela primeira vez o cavaleiro,
que durante toda a sua vida iria ser o seu melhor companheiro e irmão de armas. O rei de Orkney foi derru-
bado da sela no primeiro embate, freando então frente
a frente Arthur e Gawan; futuros amigos, mas então
inimigos ferozes. A luta foi longa e equilibrada; amigos
e inimigos, ao redor deles, assistiam-na encantados.
Cada um reconheceu então que não seria capaz de sub-
jugar o outro e, quando pararam para respirar, depois
de terem cruzado centenas de vezes as lâminas, ergue-
ram os dois juntos a viseira, como se tivessem combina-
do, e se olharam nos olhos. Gawan então disse: 'Nobre
rapaz, devo reconhecer que você é o legítimo rei e um
herói insuperável. Portanto, submeto-me a você e, se qui-
ser, o servirei como companheiro de armas'. Imediatamente Arthur se alegrou e embainhou a espada; os dois
se aproximaram e se abraçaram.*[20]

Só se consegue ficar amigo do poder depois de uma longa
luta que sempre nos leva aos limites das nossas forças morais
e exige de nós a máxima atenção e veracidade. Ficar amigo do
irmão-sombra significa retirar todas aquelas nossas projeções
negativas dirigidas aos nossos semelhantes, e acabar com

todas aquelas inúmeras querelas, através das quais combatemos o mal no outro, no inimigo, no estrangeiro, no colega e no companheiro, sem notar que se trata do nosso próprio mal que nos enfrenta de lá. Nesse caso, o primeiro passo é naturalmente – como em todas as coisas das quais gostaríamos de nos conscientizar – aprender a perceber a nossa sombra em suas inúmeras manifestações.

Nossa sombra do poder e da megalomania mostra-se nas mais variadas formas. Fica evidente, por exemplo, numa postura tensa, empertigada de quem olha de cima para baixo ("nariz empinado"), nos cantos da boca puxados para baixo de maneira desdenhosa e no uso frequente do indicador erguido, como também em toda entonação de mestres e missionários. Palavras como "deveríamos", "nunca", "sempre", "absolutamente", "totalmente", "radicalmente", "definitivamente", palavras, portanto, que expressam uma pretensão de algo absoluto, total e definitivo, indicam que possivelmente deixamos de olhar para a relatividade das afirmações humanas e do nosso saber. Surge então o perigo de sermos possuídos pelas nossas "convicções sagradas" e acometidos pela intransigência e intolerância. Muito frequentemente, isso leva à perda de relacionamentos e contatos sociais. Recomenda-se especial vigilância do tocante à suscetibilidade excessiva e a frequentes acessos de cólera, ao enaltecimento da dignidade e da honra, à sisudez permanente e à falta de humor. São sintomas bem evidentes de uma fraca autoestima que obrigatoriamente precisa ser compensada por fantasias megalomaníacas e heroicas.

Uma outra ajuda é a que recebemos através do *feedback* transmitido pelo nosso meio ambiente. Aqui vale, em certo sentido, a antiga sabedoria: "Quem fala do meu lado bom é meu inimigo; quem fala do meu lado mau é meu amigo." O fato é que as pessoas que se posicionam criticamente diante de nós, com bastante frequência projetam sua problemática em nós, embora não ajam assim por acaso, mas porque muitas vezes lhes damos motivos. Como nos criticam com tanta ênfase, temos uma chance de aprender e ver algo em nós de maneira mais evidente. Exercito-me nos últimos tempos aplicando o "escudo refletor" de Perseu – com algum sucesso. Depois da minha primeira reação emocional tempestuosa e indignada a uma crítica, esforço-me por me recompor e pergunto: "Bem, ainda que isso seja exagero e eu não possa aceitá-lo assim, o que poderia haver de correto nisso? Qual é o ponto escuro que esta crítica atingiu e que não gosto de admitir?" Em geral, encontro alguma coisa que me proporciona um conhecimento a princípio doloroso, mas por fim de muita serventia.

Outra ajuda na relativização de ideias megalomaníacas e presunçosas é a realidade social. Teoricamente, pode-se fantasiar e elaborar muito bem as imagens idealizadas de pessoas e doutrinas salvadoras heroicas, por trás das quais a sombra do poder facilmente se oculta, mas a área de experimentação decisiva é a vida concreta. É que a vida cotidiana profissional e social reduz as fantasias mais heroicas a uma medida normal saudável, suportável e humana. Muitos filósofos e benfeitores da humanidade evitaram a vida prática, concebendo suas ideias altaneiras em uma "torre de marfim" distante da vida, livres dos sofrimentos, das contradições e conflitos da existência humana. As pessoas presunçosas, que se consideram especiais, também se afastam, via de regra, do confronto e atrito com a realidade exterior. É que esta se atém, inevitavelmente, ao fato de que "as árvores não crescem no céu". Por isso a pergunta: "Estou realmente vivendo como creio que se deve viver?" ou "Estou realmente realizando o que recomendo às outras pessoas?", é extremamente abençoada para nós e para os nossos semelhantes, atormentados por sabichões e conselheiros.

Ainda mais profundo, em seu efeito redutor da megalomania, do que a experimentação com a realidade cotidiana, é a experimentação com uma outra e última realidade, ou seja, a morte. Visto que o domínio da problemática da morte é uma das partes essenciais do caminho do herói, este aspecto só será representado mais tarde. Veremos então que só o confronto com a morte completará o caminho positivo do herói, dissolvendo ao mesmo tempo todas as consequências negativas de uma identificação com a imagem ideal do super-homem. Em virtude da nossa finitude, não há mais motivo para a megalomania e para a onipotência.

Lutz Müller

A luta do herói com seu irmão-sombra, ou seja, os confrontos com a impotência e a penúria da "criança interior" e com as fantasias compensatórias de poder e grandeza, assim como a reconciliação com as diversas facetas da própria esfera da sombra, tem efeitos profundos sobre a vida, não somente individual, mas também social e política. C. G. Jung escreveu em *Psicologia e Religião*:

"Se imaginarmos uma pessoa bastante corajosa para se desvencilhar de todas as suas ilusões projetadas, devemos em primeiro lugar pensar num indivíduo capaz de se conscientizar de uma 'sombra' considerável. Alguém assim se sobrecarregará de novos problemas e conflitos. Tornar-se-á uma séria tarefa para si mesmo, já que agora não poderá mais dizer que os outros fizeram isso ou aquilo; que cometeram erros e que é preciso combatê-los (...) Uma tal pessoa sabe que tudo o que está errado no mundo também ocorre dentro dele e que se aprender a lidar com a sua própria sombra terá feito algo real para o mundo. Terá conseguido, então, responder ao menos a uma ínfima parte das enormes questões insolúveis dos nossos dias. (...)"[21]

# A LUTA COM O DRAGÃO:

## o confronto com o medo

*Foram à charneca e logo encontraram os rastros do bicho: estavam aplainados e indicavam o caminho pelo qual ele se arrastara até a água para beber. O coração de Regin estremeceu, e ele se escondeu na mata, mas Sigurd amarrou o cavalo na floresta e cavou em uma das pegadas um grande buraco, sentou-se dentro dele e ficou ali escondido. Não precisou esperar muito até o dragão aparecer: já de longe ouviam-se suas bufadas, suas pisadas, que faziam a terra tremer, e das narinas do monstro saíam veneno e fogo. Sigurd acocorou-se em sua cova, sem medo, e quando o dragão passou por cima dele, enfiou-lhe a espada até o cabo, justo no seu ponto fraco, atingindo-lhe o coração, e, rápido, retirou a lâmina, saltou da cova e afastou-se para o lado, de modo que o bicho não conseguiu alcançá-lo; este começou então a rugir de raiva e a girar em círculo, batendo a cauda com tanta força que as árvores e rochas atingidas por ela estalaram como vidro. Sigurd acendeu uma fogueira e assou o coração de Fafnir no espeto. Quando o sumo começou a espumar, Sigurd quis provar para ver se estava cozido e encostou o dedo; sentiu-o arder e rapidamente levou-o à boca de modo que o sumo foi parar na sua língua. De repente, começou a compreender a linguagem dos pássaros e ouviu o que os pica-paus na mata gorjeavam a seu respeito (...) Depois, comeu o coração do dragão e sentiu como a força e a coragem cresciam torrencialmente dentro dele.*[22]

Os motivos centrais e as atividades principais do caminho do herói podem ser resumidos sob o conceito simbólico de "luta com o dragão". O dragão é um símbolo arcaico extremamente rico de significados. Por essa razão, é possível relacioná-lo com os mais diversos poderes que se apresentam aos homens sob a forma de problemas perigosos e inibidores, como por exemplo: os poderes da natureza, um destino penoso, as amarras dos pais, o desconhecido, o escuro e o mal da alma ou a morte.

Nas concepções mitológicas de muitos povos da cultura ocidental, o dragão personifica os poderes primordiais que sempre estão ameaçando as pessoas e a ordem das suas vidas. Ao imaginar as origens e as primeiras coisas da vida, elas imaginam também figuras semelhantes a dragões. Os dragões são criaturas do caos, da desordem, das trevas. Seu contraponto é a luz, a ordem e os deuses e heróis doadores do conhecimento, que matando o dragão separam o céu da Terra e fazem surgir o mundo.

Uma das narrativas tradicionais mais antigas é a luta de Marduk, o deus solar babilônico, contra Tiamat, o monstro do caos, a mãe do abismo. Armado com uma rede, uma clava, veneno, arco e flecha e com uma aljava cheia de raios, acompanhado pelos quatro ventos e por um poderoso ciclone, Marduk saiu pelo cosmos em seu carro de ataque à procura de Tiamat. Estendeu a rede sobre o vazio e apanhou Tiamat:

*Ao se aproximarem um do outro,*
*Tiamat e Marduk, o mais sábio dos deuses,*
*atracaram-se começando a luta.*

*O senhor desdobrou a rede e lançou sobre ela.*
*Arremessou-lhe contra o rosto e o vento mau.*
*Tiamat abriu a boca para engoli-lo.*
*Ele arremessou dentro dela o vento mau,*
*para impedir que ela*
*a fechasse novamente.*
*Os ventos raivosos dilataram-lhe o corpo.*
*Sua barriga inchou. Sua boca permaneceu aberta.*
*Ele disparou uma flecha*
*que transpassou-lhe a barriga,*
*rasgou-lhe as vísceras e abriu-lhe o coração.*
*Ele a venceu, tirou-lhe a vida,*
*atirou o cadáver no chão*
*e o sobrepujou.*[23]

De Zeus, o pai dos deuses na Grécia, relata-se também uma luta semelhante. O dragão chamava-se Tífon e era filho de Geia e Tártaro, da Terra e do mundo subterrâneo. Geia manteve-o escondido por muito tempo; mas um dia, ele irrompeu do seu esconderijo para aniquilar a jovem estirpe dos deuses olímpicos. Tífon, meio homem, meio animal, era o maior monstro que o mundo conhecera:

*Da cintura para baixo, tinha o corpo cercado de serpentes. Seus braços possuíam inúmeras cabeças de*

*serpentes em vez de mãos. Quando ele os estendia,*
*atingiam centenas de milhas de distância. Sua bestial*
*cabeça de burro tocava as estrelas; suas asas terríveis*
*tapavam o sol; saía fogo de seus olhos, e uma lava*
*flamejante escorria de sua boca.*[24]

Depois de uma longa luta, Zeus finalmente venceu Tífon,
arremessando o vulcão Etna sobre o monstro.

Segundo antigas crenças nórdicas, uma árvore gigantesca,
a sempre-verde Yggdrasil, a árvore do mundo, estendia-se da
abóbada celeste às profundezas do inferno. Seu tronco e seus
galhos sustentavam toda a ordem universal, e suas raízes liga-
vam o mundo dos deuses com o dos homens e o dos mortos.
Contudo, o dragão Nidhöggr roía sem cessar suas raízes e, portanto, os alicerces da existência ordenada. Não somente a base
última de todo o ser estava constantemente ameaçada pelo dragão, mas também o reino dos homens. O mundo humano –
Midgard – estava cercado pela serpente Midgard, que habitava
as profundezas do mar. Foi combatida em vão pelo deus Thor.
Imaginava-se que estava determinado que os dois – Thor e a
serpente – combateriam pela última vez no fim do mundo.
Thor, então, no meio do inverno eterno, quando o céu se abre
e o caos retoma, mataria a serpente logo que ela saísse da água.
Porém, o hálito venenoso da gigantesca serpente moribunda

acabaria aniquilando o deus. Nas vagas de fogo, o mundo sucumbiria e os elementos que o formam se desintegrariam.

Se resumirmos tudo o que está associado ao dragão, nessas imagens descritas – vazio, abismo, profundezas, caos, escuridão, catástrofes, fim do mundo, ameaça mortal e devoradora, figura repugnante e amedrontadora, veneno, fogo e lava – veremos, então, que ele é uma projeção do sentimento básico da humanidade de perigo constante, tanto no mundo exterior quanto no mundo interior psicofísico. A imagem do dragão configura e condensa tudo o que o ser humano pode imaginar como expressão do seu medo existencial. Por isso, outras figuras amedrontadoras da fantasia humana – demônios, diabos, bruxas, divindades más, figuras horrorosas e monstros – também apresentam quase sempre estreitos paralelos com a imagem do dragão.

Esses medos e sensações de perigo da personalidade humana, representados em todos os tempos e em todas as culturas por figuras semelhantes, são arquetípicos, isto é, são experiências universais básicas que determinam a vivência e o comportamento do indivíduo, tanto no presente como no futuro. Pode-se facilmente demonstrar que a psique do homem moderno também produz espontaneamente imagens semelhantes a dragões, quando ele se encontra em situações arquetípicas de conflito. Neste caso, ora ela recorre às verdadeiras figuras arcaicas de dragões, ora se ajusta ao desenvolvimento da era tecnológica, fazendo-nos sonhar com verdes tanques de guerra atravessando a mata espessa, com locomotivas a vapor saindo da cavidade de um túnel, fumegantes e ofegantes, e com aviadores dando um voo rasante sobre nossas cabeças e causando um ruído ensurdecedor. Até agora, para mim, a variante mais estranha foi encontrada no sonho de um jovem: ele estava sendo perseguido por um daqueles enormes e antigos fogões a lenha, ardendo em brasa e que ameaçava tragá-lo.

Do nascimento até a morte, todo ser humano está sempre executando o mito do herói e a luta com o dragão. Comparada com a consciência madura do adulto, a consciência da criança é ainda muito difusa e caótica. A criança é impelida por seus impulsos, desejos e sensações, e se assusta com eles; para ela, o mundo à sua volta é, em sua maior parte, estranho. Ele se apresenta animado por poderes e forças inquietantes, fazendo-a temer constantemente ser repudiada e deixada sozinha e desprotegida. Vemos então com que rapidez o dragão do caos irrompe sobre a criancinha, ainda que ela seja deixada a sós por pouco tempo. A criança alegre, aberta à vida, torna-se de repente um ser profundamente desesperado, inundado pelo medo e pelo pânico, e que vivencia algo assim como o fim do seu mundo.

No início do desenvolvimento da consciência da criança, os pais bondosos são os heróis divinos, que domam o caos primordial trazendo luz, segurança e orientação. Tendo-os como modelo e orientadores, ela vai aprendendo a se tornar ela mesma um herói humano, isto é, ela aprende a dominar as dificuldades da sua existência e a clarear seus aspectos escuros, com a ajuda da própria capacidade, cada vez mais aprimorada, de percepção e discernimento, da própria independência e força de vontade revigoradas, do próprio controle dos instintos e das emoções e do próprio pensamento analítico.

Mas a vida está sempre colocando as pessoas, de acordo com a idade, diante de situações novas e desconhecidas, nas quais temem fracassar: escola, provas, relacionamento com outras pessoas e com o outro sexo, sexualidade, profissão, nascimento dos filhos, envelhecimento, separações, doenças, acidentes, morte. Por sua vez, se lhes foi permitido aprender estratégias úteis de dominação, terão esperança e coragem para poder dominar essas situações. Entretanto, poucos de nós aprenderam essas estratégias úteis de dominação. Em vez de uma espada de ouro do pensamento corajoso e da alegria da decisão, temos talvez à nossa disposição apenas uma espada enferrujada, velha e cega, que se quebra no primeiro obstáculo mais duro. Em vez de podermos nos servir de um escudo refletor que nos proporciona objetividade, sabedoria e serenidade, acabamos sempre doentes, em função das preocupações desgastantes, e magoados com as querelas extenuantes. Ou, em vez de nos deixarmos levar por um garanhão forte e fogoso a novos objetivos, arrastamo-nos em círculos por uma

104        O Herói

paisagem deserta, carregando um gigantesco saco de responsabilidades e deveres impostos pelos outros, de imputações de culpas e inferioridades.

Por isso, essas novas fases da vida, que nos exortam a mudar e a continuar aprendendo, transformam-se em situações de grande medo e de perigos. Por trás delas, o grande dragão parece estar nos espreitando, ameaçando nos devorar, escurecendo a luz orientadora da nossa consciência, inibindo nossa capacidade de ação e diluindo o sentido das nossas vidas. Mas, em geral, o dragão só é perigoso porque fugimos dele. O que temos como sendo o caos, o desconhecido e o estranho são muitas vezes novas possibilidades de desenvolvimento, aspectos desconhecidos do nosso Si-mesmo com os quais ainda não estamos familiarizados. Antigamente, pintava-se um dragão nos mapas, junto às fronteiras, onde começava a região ainda inexplorada. Era o mesmo que dizer: esta é uma região perigosa, estranha e habitada por dragões, razão pela qual não passamos adiante. Contudo, os mitos de heróis nos encorajam a enfrentar o medo do novo e do desconhecido, e a correr o risco, mais uma vez, de lutar com o dragão.

Psicologicamente, a luta com o dragão significa dominar o medo. No entanto, a palavra "luta" sugere que pensemos mais em vencer e matar do que em dominar e integrar. Nos tempos mais remotos, acreditava-se que a melhor maneira de lidar com o medo era eliminá-lo e reprimi-lo. Recentemente, tive uma conversa com uma mulher que precisou reprimir seus medos já na infância. O pai dela, por exemplo, exigia quase sempre que ela descesse sozinha à adega escura para buscar vinho. Lá embaixo, ela sentia muito medo e dominava-o valentemente. Mais tarde, achou que o medo não passava de uma fraqueza e que uma pessoa adulta jamais o sentiria. Aprendeu a ser forte e dura consigo mesma. Agora, porém, seus medos nunca admitidos irrompiam com toda a intensidade na sua consciência: começou então a ser atormentada por fantasias de que homens a assaltariam ou arrombariam a sua casa. Já observei esse motivo da fantasia e do sonho, contendo figuras escuras que perseguem, estupram e matam, com relativa frequência em mulheres que aprenderam a lidar de maneira muito dura consigo mesmas.

O medo, porém, é uma reação humana saudável de que precisamos para a segurança da vida. Por isso, o primeiro passo para a superação do medo não é reprimi-lo e eliminá-lo, mas sim admiti-lo. No entanto, para isso precisamos de algo como o escudo refletor de Perseu. Com a sua ajuda, o medo pode tornar-se tão suportável a ponto de não nos destruir. Ao sentir medo de alguma coisa, podemos agir da seguinte maneira: sentamo-nos num ambiente tranquilo, onde ninguém nos incomoda, relaxamos (escudo protetor de calma e serenidade) ouvindo uma música suave e nos aproximamos com cuidado do nosso medo. Examinamos detidamente o nosso medo. Movimentamo-nos em volta dele, até sentir com maior evidência o que se encontra em seu centro. Perguntamo-nos do que realmente temos medo; damos a esse medo, talvez "anônimo", um nome e imaginamos o que poderia ocorrer de pior. Admitindo o pior na nossa fantasia, observando-o tranquilamente sempre de todos os lados, refletindo e escrevendo sobre ele, pintando-o ou dando-lhe uma configuração artística qualquer, habituamo-nos com a situação temida. Através do poder encantador do escudo refletor de Perseu que nos proporciona distância e objetividade, o medo vai diminuindo aos poucos, de modo que nos arriscamos a experimentar e a imaginar outros comportamentos enquanto fuga ou entorpecimento.

A reiterada ousadia de penetrar em nossos medos equivale ao banho de sangue do dragão, tal como conhecemos da saga de Siegfried, através do qual ele se tornou invulnerável, com exceção de um pequeno ponto nas costas. Ou equivale a comer o coração do dragão que fez com que a força e a coragem crescessem torrencialmente dentro dele. À medida que integramos o essencial daquilo que antes nos causou temor – mesmo que se trate de aspectos inativos e ainda não conscientes do nosso Si-mesmo ou de experiências exteriores incomuns – a superação do dragão do medo nos levará ao tesouro da consciência ampliada e a novas possibilidades de vida.

A força criativa e positiva latente do dragão aparece sobretudo – excetuando-se algumas histórias de matadores de dragão conhecidas no Ocidente – nas concepções existentes na Índia, na China e no Japão. Lá, o dragão simboliza a fertilidade e a força criativa, a longevidade, a felicidade e a sabedoria. Em sua jornada para o autoconhecimento, o herói teve de superar até agora diversos medos, perigos e dragões: precisou libertar-se da prisão das dependências e fixações da primeira infância, desligar-se da necessidade de aconchego e orientação paterna, e ter a coragem de se defrontar consigo mesmo, com seus próprios sentimentos e pensamentos. Teve de correr o risco de questionar normas e valores sociais dominantes, assumindo assim uma posição solitária e singular. Por fim, teve de lutar com seu irmão-sombra. A tarefa mais difícil, porém, ligada ao medo humano mais profundo e que representa, portanto, o seu "dragão maior e mais problemático", ainda está para ser enfrentada: o confronto com o mundo subterrâneo da morte.

# NASCIDOS DUAS VEZES

*Em sua odisseia, depois de já ter passado por algumas aventuras perigosas, Ulisses e seus companheiros viveram durante um ano na ilha de Aea, onde habitava a feiticeira Circe. Os seus homens, porém, o convenceram a continuar a viagem. Circe disse que ele deveria primeiro procurar na entrada do inferno a sombra do vidente Tirésias, já morto, e indagar-lhe sobre a evolução do seu destino. Ulisses e sua tripulação se amedrontaram com esta viagem. Circe os encorajou e deu a Ulisses instruções exatas de como deveria se comportar ao entrar no Hades. Ouviu dela também como poderia entrar em contato com os mortos. Ela então lhes enviou um vento favorável, que logo os fez chegar no reino do eterno crepúsculo, onde a névoa era tão densa que o sol mal podia atravessá-la. Ali, Ulisses encontrou a entrada para o inferno e fez um ritual de sacrifício. Imediatamente afluíram as sombras dos mortos: heróis, reis e rainhas, homens e mulheres de todas as épocas e de todas as idades. De Tirésias, ficou sabendo o que teria pela frente em sua viagem de volta para casa, e como se configurava o seu futuro mais distante. Conversou com a mãe, que lhe falou de sua pátria, de sua esposa Penélope, de seu filho e da própria saudade que sentia por ele e da qual morrera. Várias vezes, ele tentou abraçá-la, mas não conseguia tocá-la, pois ela lhe escapava como uma imagem onírica. Quando as sombras dos mortos se estreitaram cada vez mais à sua volta, e ele começou a temer que a terrível cabeça da górgona Medusa aparecesse com o seu olhar petrificante, ficou apavorado. Fugiu de volta para o navio onde os amigos já o aguardavam inquietos, para poder finalmente iniciar a viagem de volta. A ida ao Hades teve um final feliz. Ao chegar à ilha de Circe, foram saudados amigavelmente por ela: "Vocês experimentaram duas vezes a morte que os outros só experimentam uma vez."*

O motivo da descida do herói ao mundo subterrâneo – chamado às vezes de Hades, Inferno, Além ou Reino dos Espíritos – é encontrado também em muitos mitos e religiões. As razões dessa descida quase sempre muito perigosa são as mais diversas: a deusa sumeriana Ischtar desceu aos Infernos para procurar o filho Tammuz, que ela havia matado anteriormente e com o qual pretendia se reencontrar; Gilgamesch encontrou nos Infernos a erva da imortalidade, mais tarde roubada por uma serpente; Hércules, na última das tarefas a ele impostas, precisou trazer do reino de Hades, Cérbero, o cão de guarda do Inferno. Para isso, teve de ser iniciado primeiro nos Mistérios de Elêusis, que se baseiam no mito de Perséfone-Deméter e contêm também uma temática do mundo subterrâneo. Ulisses, como vimos, quis saber da alma de Tirésias, o vidente cego, a evolução de seu destino. Na tradição xamanista, o xamã põe-se a caminho do Além para reencontrar partes perdidas da alma ou obter um remédio contra uma determinada doença.

Portanto, viajando para o Além, o herói tenta adquirir conhecimentos sobre a determinação de sua vida; os poderes das trevas devem ser superados, e as almas perdidas e amaldiçoadas devem ser libertadas ou redimidas. Ele quer lançar um olhar

Lutz Müller

para o futuro ou para o passado e descobrir as causas de doenças provocadas por demônios ou espíritos. Deve-se suportar a morte, renovar a vida e encontrar a "preciosidade de difícil acesso". O encontro com o mundo subterrâneo transmite-lhe uma consciência modificada e conhecimentos que não podem ser adquiridos de nenhuma outra maneira e que têm uma importância decisiva para a vida.

Se há uma ação que faça de alguém um "verdadeiro" herói, no seu sentido mais construtivo, é justamente a descida em direção ao insólito reino das trevas e da morte. O encontro com a própria incorporeidade, dependência e impotência, com a finitude da nossa existência, pode nos transformar de maneira tão fundamental como nenhuma outra experiência. Mas parece que temos de pagar caro por essa possível mudança. Evitamos, sempre que possível, o confronto com a morte e com o "inferior" associado a ela. Tudo o que nos lembra a nossa transitoriedade, fragilidade, fraqueza e o nosso abandono a um destino incerto torna-se o "inferior" ameaçador que mobiliza as nossas defesas: a nossa materialidade, a mundanidade, a corporeidade, a analidade e a sexualidade, a sensualidade, a instintividade, a emocionalidade, as forças e poderes inconscientes de nossa alma e, finalmente, também a feminilidade, até o ponto em que nos faz lembrar que nascemos e que, portanto, teremos de morrer um dia.

A este "inferior", em nossa cultura opomos de maneira obrigatória e desesperada o "superior", do qual esperamos a salvação. O "superior" é o céu, a espiritualidade imortal, a consciência, a cabeça, o pensamento e a razão; é a durabilidade, o eterno, a vitória, o poder, o êxito. Encontramos na nossa linguagem diária muito dessa escala de valores, segundo a qual tudo o que está "em cima" é bom, e tudo o que está "embaixo" é ruim. Quando nos sentimos bem, fortes e superiores, estamos "por cima", "no auge" ou "nas alturas". Estar "por cima" uma vez na vida, na escada do sucesso, é o desejo e o sonho secreto de muitas pessoas, pois isso significa experimentar os "elevados sentimentos" de poder, de influência, de admiração e de fama, e colocar-se acima das outras pessoas.

Em contrapartida, atribui-se ao "inferior" características e qualidades preponderantemente negativas. Por exemplo, "descemos", "nos rebaixamos", "caímos" nas escuras "baixezas" da "carne", do instinto e do "pecado", dos equívocos e confusões humanas. Quando nos sentimos mal e deprimidos, estamos *down* ou "lá embaixo", atingimos nosso ponto mais fundo. Ser "rebaixado" significa "cair" na consideração do seu meio, perder seu *status*, seu prestígio, seu poder, sua grandeza. Ocorre uma redução, uma depressão e diminuição da personalidade e do Eu, pela qual ninguém gosta de passar, muito menos voluntariamente.

Pelas mesmas razões, também sentimos medo da descida às profundezas da própria personalidade. É que nos deparamos lá embaixo com o escuro, com a sombra, com o humano demasiadamente humano e com os aspectos instintivos e naturais do próprio ser. Um homem, certa vez, respondeu à minha pergunta sobre o que ele temia quando deixava suas fantasias semiconscientes "subirem" livremente: "Tenho medo de que toda a minha sujeira e imundície, o meu lado mau e ruim venham à tona." Isso ele pressentira e formulara de maneira absolutamente clássica. O fato de que o "verdadeiro" Si-mesmo, segundo a concepção dos antigos alquimistas, é encontrado justamente ali onde é menos procurado, ou seja, na sujeira da rua *(in stercore invenitur)*, era para ele consolador, mas motivava-o muito pouco a abrir-se ainda mais para essa esfera. O que é compreensível, pois o medo do *descensus ad inferos*, da descida ao inferior, possui várias camadas. Há a ameaça não somente de reduzir a autoimagem, mas também de se defrontar com complexos reprimidos e amedrontadores, e com outros fatores autônomos da alma.

Neste encontro com o nosso mundo subterrâneo inconsciente, somos ameaçados por dores e sofrimentos, pela experiência do próprio vazio e da falta de sentido, do desamparo e da dependência infantil, mas também pela vivência da destruição e da agressão quase indominável. Aí corre o sangue; aí somos despedaçados e esquartejados; aí somos seduzidos e violentados; aí praticam-se incestos; aí se come e se defeca; aí emergem lembranças insuportavelmente vergonhosas; nos envergonhamos da nossa própria presunção e vaidade, da nossa própria pequenez e fraqueza. Por fim, tememos também a dissolução da personalidade e a "morte do Eu". A descida ao mundo subterrâneo anímico assemelha-se, portanto, a uma verdadeira "viagem ao Inferno". Lá "embaixo", a sombra está à espreita, a "Grande Mãe" em sua natureza dupla e insólita, o infantil e a morte. Esses aspectos escuros e assustadores do nosso ser – os "guardiães do limiar" – intimidam a maioria das pessoas no caminho em direção a si mesmos. Em vez disso, elas prefeririam lançar-se de imediato para "cima" rumo ao céu, com a ajuda de procedimentos impessoais, perdendo-se então a si mesmas.

Relata-se que Sidarta Gautama, o Buda, recomendava que seus discípulos permanecessem vários meses ao lado de moribundos e de pessoas mortas, e meditassem junto ao cadáver em decomposição para tomar consciência da singularidade e da transitoriedade da existência humana e encontrar o caminho da libertação. Os filósofos, da antiguidade até o presente, nos fazem lembrar constantemente que a morte é o mais sábio dos nossos mestres. Pessoas que estão cientes de sua morte próxima e que se reconciliaram com ela dizem quase sempre que desde então começaram realmente a viver. Afirmam ter vivenciado momentos da mais elevada intensidade, e que se tornaram mais tranquilas, mais serenas, mais pacíficas e até mais alegres; que estão mais receptivas e gratas a muitos pequenos momentos e encontros, aos quais antes não davam nenhuma atenção. A certeza da morte leva evidentemente a uma redistribuição de valores. O que antes parecia extremamente importante torna-se então insignificante; o que antes nem se notava tornava-se então uma revelação. O essencial assume o primeiro plano.

Jung, depois de um infarte que o levou próximo à morte, escreveu a uma colega mortalmente doente: "No fundo, minha doença foi uma experiência extremamente valiosa; deu-me a preciosa oportunidade de lançar um olhar por trás do véu. Só uma coisa é difícil: soltar-se do corpo, desnudar-se e esvaziar-se do mundo e da vontade do Eu. Quando se pode desistir da precipitada vontade de viver, e quando se tem a impressão de que se caiu numa névoa sem fundo, começa então a verdadeira vida com tudo aquilo que se ambicionou, mas nunca se conseguiu. Isso é algo inexprimivelmente grande. Senti-me livre, completamente livre e inteiro, como nunca (...) Foi uma alegria silenciosa e invisível, perpassada por um sentimento incomparável e indescritível de bem-aventurança eterna; eu nunca teria acreditado que um sentimento assim estivesse ao alcance da experiência humana. Vista de fora e enquanto não formos atingidos por ela, a morte é algo da maior crueldade. Mas logo que nos deparamos com ela, vivenciamos um sentimento tão forte de totalidade, de paz e plenitude, que não se tem mais vontade de voltar."[25]

Em vários aspectos, o encontro com a morte pode tornar-se uma chave que nos abre novos espaços na consciência, dando acesso e valores de vida profundos. O mais comovente e, ao mesmo tempo, mais libertador é o conhecimento de que na vida nada realmente importa e, dentro de certos limites, estamos livres para fazer o que queremos, desde que assumamos a responsabilidade por isso. No entanto, suportar toda a extensão dessa liberdade é tão difícil para quase todos nós que preferimos nos submeter a pressões e dependências para não ter de perceber o presente que a certeza da morte nos traz, pois nessa liberdade residem também o desamparo, a insegurança e a instabilidade. Se perante a morte nada realmente importa, então não vem muito ao caso a nossa importância e a nossa reputação, nem a nossa história pessoal, o nosso presente, o nosso futuro ou muitas outras coisas, às quais nos agarramos tão desesperadamente. Ambição, orgulho e sede de poder aparecem, então, como devaneios causadores de doenças.

O confronto sério com a mortalidade leva à "morte do Eu", desde que o Eu se liberte de todos aqueles conteúdos com os quais havia se identificado de maneira ilusória e equivocada, por exemplo, com a grandiosidade e onipotência ou então com a sua culpa absoluta. Todavia, dizer sim a essa morte do Eu significa ao mesmo tempo também dizer sim à vida e ao Si-mesmo. À medida que ousa se questionar e se relativizar, desligando-se das suas concepções megalomaníacas exageradas, dos seus sentimentos de inferioridade e de culpa, o Eu adquire aquele ponto de vista suprapessoal, que lhe possibilita tornar-se uma instância criativa, que mantém uma relação fecunda com o conjunto da personalidade e do meio ambiente. Evidencia-se então que o temido caminho para baixo significa, na verdade, do ponto de vista do Eu, uma "descida" e uma morte, mas, ao mesmo tempo, também um caminho para cima. A descida proporciona uma elevação, ou seja, um aprofundamento da vida; o sofrimento da consciência do Eu leva à redenção do Si-mesmo, e o mergulho na esfera da morte plena, a um renascimento.

O novo homem resultante da morte simbólica do Eu não é eterno, nem imortal, mas um homem transformado pela morte. É um homem que desistiu de fugir de si mesmo e da morte, despertando por isso para uma nova vida, com uma nova vitalidade. Ele percebe o milagre e o presente da vida em todo o seu paradoxo e beleza, e começa a celebrá-la com amor.

Nos mitos, contos de fadas e narrativas, como também nos nossos sonhos, essa renovação e retorno, a subida da alma do reino da morte e da sombra, reflete-se em múltiplas imagens e símbolos. Enquanto a descida – a regressão – aparece representada pela escuridão, a noite, o inverno, o abandono e a solidão, a desorientação, a doença, o perigo, a destruição, a dissolução e também em muitos outros símbolos, em parte já mencionados anteriormente, o retorno feliz – a progressão – anuncia-se por símbolos opostos. São quase sempre símbolos da luz, da ordem e da união: a primavera, a criança recém-nascida, o verde e o colorido, a alvorada e o dia, o Sol e a luz, a mandala, a formação de um bom contato com o semelhante, o companheirismo, a dança, a festa, a união sexual feliz. Algo desta nova postura diante da vida, adquirida através do confronto com a morte, expressa-se no seguinte sonho: um homem de quarenta anos, em meio a um difícil problema de separação e, portanto, numa situação de "morte e mudança", teve este sonho maravilhoso e simples como um filme, no qual era ao mesmo tempo também o personagem principal:

*Um homem de aproximadamente quarenta e cinco anos vivia num pequeno vilarejo. Certo dia, despediu-se de todos os vizinhos, foi à igreja, sentou-se ao órgão e improvisou uma peça musical. (O sonhador afirmou jamais ter ouvido uma música de órgão tão intensa e grandiosa como neste sonho.) A música era o seu presente de despedida aos habitantes do vilarejo. Depois, ele simplesmente escapuliu. Chegou a um rio e embarcou numa grande jangada. Sentou-se feliz sob a vela e deixou-se levar tranquilo pela corrente em direção ao mar. Prevalecia a atmosfera de uma tarde ensolarada e alegre. Às vezes, ele atracava, e as pessoas que queriam acompanhá-lo embarcavam. Conversavam, cantavam e bebiam, alegrando-se por estarem vivos.*

Este não é, na verdade, nenhum sonho clássico de herói, pois faltam-lhe os elementos de luta, mas apresenta motivos evidentes do caminho do herói e lembra também um pouco Ulisses: o desligamento de uma procedência coletiva (vilarejo), o ato criativo (peça musical), o ato de deixar para trás a história pessoal e a dependência, o pôr-se a caminho e a confiança na torrente condutora da vida. Se quisermos interpretar o sonho, não como fantasia irrealista de um desistente, mas considerá-lo simbolicamente, poderemos então configurar a possibilidade de uma maneira de viver determinada pelos relacionamentos sociais benévolos e por uma consonância criativa consigo mesmo e com a dinâmica da vida (a viagem de jangada pelo rio, deixando-se levar até o mar como a origem e o fim da vida).

A vivência de uma tal unidade e totalidade individual, concretizada através do conhecimento da finitude da própria existência, da relativização do Eu e da afirmação da vida, pode nos proporcionar em determinados momentos a sensação de felicidade tácita, de paz, de êxtase ou então de alegria serena.

Com muita frequência, contudo, parece tratar-se então de uma mistura mais meditativa de impressões estranhas das mais diversas espécies: uma admiração e um assombro grandioso; um incrédulo balançar de cabeça cheio de dúvidas; uma oscilação entre a singularidade e a pequenez; um humor melancólico; uma resignação alegre; uma sabedoria tola e um amor impotente e compassivo diante de toda essa existência humana inapreensível.

# A LIBERTAÇÃO DO PRISIONEIRO
## E A VIDA CRIATIVA

*Depois de matar o dragão, Sigurd cavalgou até a caverna onde estava o tesouro; os pássaros gritaram para ele: "Leve o tesouro, audacioso herói, e ganhará também uma bela mulher! Ela está esperando por você na corte de Gjuki!" "Não, a verdadeira está em Hindenberg, rodeada de chamas, e está destinada ao mais audacioso, àquele que não conhece o temor!" (...) Sigurd segue cavalgando, atravessa o país rumo ao sul e chega em Hindenberg. Dos picos da montanha, as chamas pareciam ir de encontro ao céu, como uma imensa fogueira. Cavalgou mais para perto e viu que o brilho do Sol era refletido por escudos lisos, colocados como um muro ao redor de um castelo sobre o qual tremulava uma bandeira. Ele apeou-se e entrou no castelo. Lá havia uma pessoa dormindo, vestida com uma armadura. Sigurd tirou-lhe o elmo da cabeça, e longas tranças escorreram-lhe pelos ombros; viu então que se tratava de uma linda mulher. Em seguida, quis tirar--lhe a couraça, mas ela estava tão firme como se tivesse crescido junto à carne. Com sua espada, partiu-a começando pelo pescoço, descendo até o peito e depois nos braços: Gram cortava o aço como se fosse pano; e quando não sentiu mais o peso da couraça, a mulher despertou. Levantou-se num salto e disse arquejante: "Quem retalhou minha couraça? Quem interrompeu o meu sono? Quem me libertou da cadeia escura?" "Sigurd, o filho do Sigmund!", respondeu o herói. Ela levou a mão à testa, e com esforço pareceu lembrar-se: "Há muito eu jazia num sono pesado, por vontade de Odin — e não conseguia sair dele." (...) Ela estendeu--lhe a taça de hidromel e disse: "Salve-se, destemido herói! Você vai beber a força e fama, sabedoria e amor, como prometem as runas gravadas sobre este chifre!"*

*Sentaram-se lado a lado e conversaram durante muito tempo, e ele ouviu dela conhecimentos secretos, que só os que estão próximos do pai universal possuem. A mulher parecia-lhe cada vez mais inteligente e bela, e quando ela lhe disse: "Agora escolha o seu destino, meu herói!", ele replicou: "Só quero ter você!" Em seguida, ela disse: "Só quero você e mais ninguém, mesmo que pudesse escolher entre todos os reis do mundo!"*[26]

Depois da superação do grande (o dragão) e do retorno bem-sucedido da zona da morte, o herói e a heroína podem finalmente se abraçar. Podem agora pertencer um ao outro. Em geral, muitas outras recompensas estão associadas ao êxito da viagem – um tesouro, a metade de um reino, a realeza ou a celebridade. Por fim, geram quase sempre um filho que lhes completará a felicidade. Esse esquema é universalmente tão conhecido que poderíamos apresentar muitas provas: Perseu, depois de cortar a cabeça petrificante da Medusa, liberta Andrômeda, quando esta estava prestes a ser sacrificada ao monstro marinho; Ulisses, depois de uma odisseia de vinte anos, retoma para a esposa Penélope que o esperava fielmente; e Hércules também encontra por fim seu complemento feminino. Contudo, em muitos mitos a libertação ou a conquista da virgem não aparece representada de maneira retilínea e simples. Com frequência, o herói tem de ir primeiro até os limites da sua capacidade e muitas vezes precisa se defrontar com as mais variadas formas do feminino, até alcançar a redenção. Sobretudo Hércules parece ter tido dificuldade em encontrar sua "feminilidade". Primeiro, num acesso de loucura, matou a esposa Megara; depois foi-lhe recusada a filha do rei, Íole, que ele tanto desejava, e depois de mais um ataque de loucura, é obrigado a prestar serviços à rainha Ônfale, por três anos. Conta-se que ele tinha de fiar e vestir roupas femininas, enquanto ela vestia a sua pele de leão e brandia a clava. Esse tratamento de feminilidade parece ter sido bom para ele; afinal, depois desses três anos, Hércules estava curado da loucura. Por fim, casou-se com Dejanira, que enciumada ao vê-lo ainda interessado por Íole, a filha do rei, deu-lhe a túnica de Nesso, na esperança de obter desta maneira o seu amor. A túnica estava embebida com o sangue do centauro Nesso, morto por Hércules, e tinha um efeito mortal, o que Dejanira, no entanto, desconhecia. Assim, cumpriu-se para Hércules uma antiga profecia, segundo a qual ele não morreria pelas mãos de um ser vivo, mas de um morto. O veneno da túnica de Nesso queimou-lhe profundamente a carne, e ele não conseguiu mais arrancá-la. Atormentado por dores insuportáveis, atirou-se em uma fogueira. No Olimpo, Zeus concedeu-lhe a imortalidade e deu-lhe como esposa Hebe, a deusa da juventude e da beleza eterna. Bem, mais um *happy end* para Hércules, ainda que somente no céu.

A libertação e a conquista do "feminino" tem uma importância fundamental não apenas para o herói enquanto ser criativo, mas também para a superação da nossa estrutura social patriarcal e doente. O nosso mundo, a nossa sociedade, cultura e religião estão desenraizadas e sofrem pela falta de valores femininos. A falta do "feminino" relaciona-se, entre outras coisas, com o fato de que existe, tanto nos homens como nas mulheres, uma profunda ambivalência perante o "feminino". Para entender essa ambivalência, é necessário retomar à situação da primeira infância. Para uma criança, a mãe – enquanto relacionamento central – é realmente uma divindade superpoderosa, que determina o bem-estar da sua existência. O poder dela é ilimitado. O sorriso e o olhar radiante da mãe oferecem à criança o paraíso na Terra, e seu repúdio e rejeição são o próprio inferno. A partir disso, o discernimento necessário para a formação da identidade e o desligamento dessa divindade materna estão ligados a muitos medos existenciais e a profundos sentimentos de culpa. Tememos não só a perda do aconchego, da segurança e do amor compreensivo, mas também a ira e a vingança da "Grande Mãe".

Particularmente trágico é o conflito entre a simbiose e a autonomia no homem. Para encontrar uma identidade diferente do "feminino", ele se orienta em geral de maneira inconsciente de acordo com a fórmula: "Ser masculino significa ser diferente da mãe e dos sentimentos com ela relacionados, significa não ser feminino."[27] Desse modo, o homem precisa reprimir e cindir necessidades e aspectos essenciais da sua totalidade masculino-feminina. Na relação com a mulher, o homem na verdade deseja ardentemente poder reanimar aquelas necessidades inativas do seu ser, mas teme, ao mesmo tempo, que possam se repetir os medos e a dependência emocional em relação à mãe enquanto primeiro relacionamento com uma pessoa superpoderosa. A mulher, enquanto representante de um mundo materno reprimido, mas desejado com tanta veemência, desperta nele inúmeros sentimentos contraditórios, inexprimíveis e profundamente inconscientes. Ele vivencia através dela, por exemplo, o anseio insaciável de unidade e fusão, de compreensão tácita, de um olhar de deleite e admiração, mas também o medo existencial do desamparo, da carência e do abandono, da solidão, da dissolução do Eu, o sentimento vergonhoso de ser sempre o inferiorizado, e a raiva mortal do superpoder insuperável do feminino.

Desse modo, o homem está sempre, e das mais variadas formas, à procura da mulher, ou melhor, à procura das suas características humanas e primitivas perdidas, inevitavelmente ligadas à mulher – e está sempre fugindo da mulher, ou melhor, fugindo dos seus medos da primeira infância. Isso forma a terrível ambivalência do homem diante da mulher: por um lado, ele anseia encontrar nela a mãe amorosa com a qual pode realizar uma união beatífica; por outro, ele projeta nela a esfinge perigosa e assassina. Ele oscila continuamente entre a idealização, a idolatria e a depreciação e execração da mulher. Por isso, via de regra, não pode percebê-la como um ser humano normal e de igual valor. As dificuldades descritas na relação ao feminino em si mesmo e nos outros se expressam, no homem – excluindo a depreciação do feminino –, em muitas perturbações de relacionamento, neuroses sexuais e comportamentos autodestrutivos; por exemplo, na repressão do seu mundo físico e afetivo, na destruição da sua sensualidade espontânea, na perda da capacidade de amar e na incidência habitual numa "conduta de potência sexual constante". Ele se fixa desesperadamente naquele pequeno órgão, do qual espera a redenção de sua ambivalência: o pênis. O pênis seria uma garantia de que ele é diferente do poder feminino que ameaça dominá-lo constantemente. Seu culto ao falo lhe daria a confirmação de ser independente, grande, forte, firme, autônomo e livre. Esta incidência exagerada no princípio fálico faz do homem um ser continuamente acossado, sempre apressado, sempre pensando em concorrência e rivalidade, com uma agressividade sempre latente e sempre com pose de vencedor. Descanso, pausa, relaxamento: isso equivaleria a um "afrouxamento", que de maneira alguma pode ser admitido, visto que, assim, as necessidades profundas, mas muito reprimidas, de passividade, entrega e soltura, poderiam talvez vir à tona. Ele preferiria então ter uma "morte de herói", fazendo o seu coração heroico e lutador fraquejar mediante um infarte. Não são poucos os homens que se vangloriam do número de infartes aos quais sobreviveram, como se se tratasse de ferimentos e lesões trazidos para casa depois de uma batalha heroica.

Mesmo Sigurd não consegue privar-se desse heroísmo fálico constante. Apesar do encontro tão promissor com Brynhild, há pouco, depois do qual ficaram noivos e prestaram juramento sagrado, logo em seguida ele partiu para o combate. Era preciso vingar o pai, e a esta vingança seguiram-se ainda muitas outras guerras e viagens. Por fim, chega à corte do rei Gjuki, do qual haviam falado os pássaros depois de sua luta com o dragão, e por meio de uma poção mágica, que a velha rainha lhe entregou, esqueceu definitivamente Brynhild. E mais ainda, apaixonou-se pela filha de Brynhild, Griemhild, e com ela se casou. Mais tarde, Brynhild vingou-se dessa deslealdade e traição de Sigurd. Provocou o seu assassinato e se suicidou em seguida. Sua esperança era a de que, ao menos no reino dos mortos, pudesse unir-se a Sigurd.

Sem dúvida, não basta ter estado rapidamente uma única vez em contato com a própria "feminilidade". A integração do feminino significa também, em última análise, a fidelidade duradoura a ela. Por meio da poção mágica da velha rainha, Sigurd sucumbe novamente ao seu velho "complexo materno" e, desse modo, à sua inconsciência perante o feminino, que se vinga de maneira amarga. Em muitos aspectos, as mulheres coparticipam do jogo heroico destrutivo do homem. Embora sintam claramente, de maneira tácita, o que a suposta força do homem quase sempre acarreta, elas alimentam a ilusão da superioridade masculina porque isso lhes traz inconscientemente algumas vantagens. Por exemplo, deixando-se fixar num dependente papel de mãe e dona de casa, a mulher escapa da vingança de sua "Grande Mãe" interior, que castiga a autonomia e a autodeterminação com a maldição, o repúdio e o abandono.

Enquanto o homem, por esta razão, permanece fixado em vivências e comportamentos infantis, por ter de reprimir aspectos essenciais do seu lado "feminino" e ser impelido desde cedo para uma autonomia e um papel apenas masculino, desde o princípio estimula-se bem menos na mulher, via de regra, anseios de autonomia. Desse modo, ela continua em larga medida identificando-se com a própria mãe.

Por isso, a "luta com o dragão" e a "libertação do prisioneiro" podem ter significados diferentes para o homem e para a mulher. Enquanto para o homem trata-se do restabelecimento de um relacionamento criativo com o seu "lado feminino" perdido, para a mulher trata-se de uma superação do medo da autodeterminação, da dissolução do relacionamento de identidade com a mãe e de encontrar a própria identidade feminina.

Lutz Müller

Isso, porém, é dificultado pelo fato de que no patriarcado muitas mulheres assumiram em demasia o repúdio ao "feminino", desprezando-se intimamente como mulheres, e se revestiram com uma armadura masculina, tal como Brynhild, cuja couraça aderiu tanto ao seu corpo que Sigurd só pôde arrancá-la com a espada. As mulheres também precisam desenvolver bem mais a sua "masculinidade", o seu herói interior, de modo que a espada da decidida força de discernimento fique à disposição para que possam romper sua identificação com as estreitas concepções patriarcais. Só assim despertarão do sono de Bela Adormecida e encontrarão o seu Si-mesmo e a sua sabedoria.

Entretanto, em muitos sonhos de mulheres, deparamo-nos às vezes com esses heróis redentores: sua contrapartida sombria aparece com uma frequência bem maior. Elas sonham com figuras masculinas desconhecidas que as perseguem, torturam, violentam e matam. Naturalmente, pode-se relacionar esses motivos oníricos ao modo como as mulheres vivenciam os homens em nossa sociedade. Mas acho que devemos entender esses sonhos também como expressão da "masculinidade": interior das mulheres. É possível que muitas mulheres se portem de maneira solícita, compreensiva e dedicada com o companheiro, com os filhos e com os pais; mas consigo mesmas demonstram geralmente um rigor, uma severidade e uma dureza implacáveis. Perseguem-se com ideais e exigências muito elevadas, atormentam-se com obrigações e sentimentos de inferioridade, violentam-se à medida que renunciam à sua própria identidade e matam a sua vivacidade à medida que renegam as próprias necessidades e anseios. Desse modo, elas também precisam libertar a identidade feminina aprisionada através de um longo caminho heroico.

A integração do "feminino", tanto no homem como na mulher, está ligada com frequência a sentimentos que se tornaram tabus. Por exemplo, uma mulher de trinta anos teve o seguinte sonho:

*Encontrava-me num cômodo junto com uma mulher desconhecida de aproximadamente cinquenta anos. Essa mulher estava nua e começou a me cativar, a me acariciar, a me seduzir, e quis que eu me despisse. A princípio, defendi-me um pouco, mas depois aceitei e comecei a gostar. Ela era bastante impetuosa em seus carinhos.*

Foi muito difícil para a sonhadora contar esse sonho, pois temia que ele pudesse denunciar nela necessidades lésbicas. O acesso ao "feminino" é muito difícil, mesmo para os homens, quase sempre por causa da homossexualidade ou de uma "feminilização". Um homem de quarenta e dois anos sonhou o seguinte:

*Numa sessão de terapia, o terapeuta estava sentado no sofá e eu deitado ao lado dele com a cabeça no seu colo. Eu estava nu e ele havia posto um cobertor de lã sobre mim. Acariciava-me suavemente e eu me sentia como uma criancinha. Deleitava-me com a tranquilidade, a ternura, o calor, e adormeci feliz. E continuei sonhando: vi um povo estranho. Homens de pele escura dançavam nus uns com os outros. Estavam em fila estreitamente juntos e se movimentavam ritmicamente em círculos. Aí então pararam e se viraram para o meio. O pênis deles estavam eretos, e eles começaram a se masturbar, até atingir o orgasmo. Havia uma seriedade solene em relação a este ato. Não era nenhum concurso, mas um ritual de entendimento mútuo, de solidariedade e de amizade. Então, os homens desataram a rir numa alegria louca.*

Esses sonhos foram muito incômodos e penosos, tanto para a mulher como para o homem. O que poderia significar isso? Os sentimentos e necessidades mostrados pelo sonho eram estranhos para eles. Sentir simpatia, amor e desejo sexual por pessoas do próprio sexo parecia-lhes algo horrível e anômalo. Eles simplesmente achavam que algo assim não lhes ocorreria nem em sonhos. Não obstante, suas almas inconscientes haviam produzido essas imagens, colocando-as diante dos seus olhos com toda a ênfase. A totalidade do nosso ser expressa-se em geral em formas rejeitadas pela moral social tradicional. Um traço essencial decisivo da pessoa criativa é justamente a ousadia em fazer o que é proibido, o que é tabu. Desse modo, a sonhadora teve de admitir que trazia em si não apenas uma forte necessidade de ser mãe, mas também de uma feminilidade sensual e madura, e começou a entender que por trás daquela mulher desconhecida, com a qual deveria ter relações sexuais, havia o anseio de uma feminilidade, em muitos aspectos, autônomo. E o homem teve de reconhecer que a integração do feminino significa não apenas conseguir um relacionamento melhor com as mulheres, mas também lidar com os outros homens de maneira mais "feminina", ou seja, mais benévola, mais compreensiva e mais amistosa, em vez de vê-los apenas como rivais e concorrentes.

Por conseguinte, a redenção da virgem significa a redenção do "feminino", tanto no homem como na mulher. Num relacionamento conjugal, no qual as convenções estabelecidas de como o homem ou a mulher devem se comportar são superadas, eles podem realizar para si mesmos, para o outro e com o outro as mais diversas formas de existência e vivência humanas. Todos – crianças e adultos – podem ser amantes e amados, pai e mãe, herói e redimido, o velho sábio e a velha sábia; em resumo, ambos dão vazão à totalidade do seu ser. Eles vivenciam a própria individualidade e indivisibilidade psíquica.

Somente neste nível é que a secular "guerra dos sexos" pode ser superada, uma vez que não há mais um confronto básico entre uma "mulher" e um "homem", separados por um abismo intransponível de incompreensão, mas um confronto entre duas pessoas que unem em si, de acordo com as suas respectivas características, o "feminino" e o "masculino". E somente neste nível parece ser possível o relacionamento afetivo e o amor liberal, pois ambos só podem se desenvolver quando as duas pessoas se permitem ser como realmente são.

De uma outra perspectiva, o prisioneiro libertado torna-se, por fim, um símbolo da libertação das nossas forças criativas. Quando o masculino e o feminino atuam juntos no ser humano, surge a criança como símbolo do novo. Não somente nos sonhos dos homens, mas também nos das mulheres, a mulher desconhecida representa quase sempre a sabedoria e a abundância criativa da alma inconsciente. Ela é uma espécie de mediadora entre a nossa consciência orientada de maneira mais "masculina" e o nosso Si-mesmo inconsciente com um colorido mais "feminino".[28] A moderna pesquisa da criatividade confirma de modo muito interessante o quanto o relacionamento com o "feminino" é necessário para o processo criativo. Descobriu-se que as personalidades criativas demonstram posicionamentos e interesses classificados em nossa sociedade antes como "femininos". Em muitos aspectos, as pessoas criativas se igualam em nossa sociedade mais às mulheres do que ao homem médio. Depois de tudo o que sabemos sobre o homem patriarcal e sobre o seu medo do "feminino" – sua relação destrutiva com seus sentimentos, com seu corpo e com seus semelhantes –, não nos admiramos com este resultado. Sem dúvida, a cisão do "feminino" significa no homem médio a destruição das suas possibilidades criativas de vida.

Num nível mais elevado, o caminho do herói torna-se, portanto, o caminho criativo do ser humano através da vida. Nas "lutas com o dragão" e nos "fenômenos de morte e evolução" sempre renovados, e através dos momentos de união efetuados sempre de maneira nova com a sua "feminilidade", ele trabalha na tarefa de dar vazão à totalidade da sua existência humana.

No mito, o tesouro conquistado pelo herói também aponta para esse estado de totalidade. Trata-se aqui, quase sempre de acordo com a denominação de Jung, de "preciosidades de difícil acesso" muito valiosas: Gilgamesch sai à procura da erva da imortalidade; Hércules rouba as maçãs de ouro das Hespérides; Siegfried se apossa do tesouro dos Nibelungos. Do ponto de vista psicológico, a personalidade unificada, a identidade consigo mesmo e com a própria essência representa para as pessoas essa preciosidade de difícil acesso e esse valor supremo.

Lutz Müller

Entretanto, a totalidade aqui referida – para prevenir mal-entendidos – é uma totalidade pessoal e individual, uma sensação vivenciada ocasionalmente de "ser um consigo mesmo", e não é nenhuma perfeição humana universal. Todo indivíduo pode realizar apenas um aspecto extremamente restrito do humanamente possível, ou seja, daquilo que lhe cabe e corresponde. Toda concepção ou ideal de uma perfeição ou plenitude supraindividual, supra-humana e totalizante significa para a autorrealização individual bem mais um pesado empecilho e, muitas vezes, até um grande perigo.

No caso da totalidade individual vivencia-se uma unidade na qual os aspectos da personalidade, antes percebidos como incompatíveis, as diversas necessidades opostas, os sentimentos e pensamentos, podem ser confirmados como inter-relacionados. Utilizando uma conhecida alegoria, eles são como as cores vivas e cintilantes de um diamante. Se avaliamos um diamante, de acordo com sua pureza, seu polimento, suas múltiplas facetas e suas possibilidades de transformação da luz solar, como um fogo mágico, cintilante e vivo, por que não avaliamos assim também a nossa personalidade? A realização do Si-mesmo não é nenhum estado monótono e monocromático, mas o jogo alternado, cintilante e dinâmico das mais diversas facetas do nosso ser, através das quais a luz da vida se revela em nós.

No sonho de uma mulher, essa união dos contrários aparentes aparece representada de maneira universalmente válida, atemporal e bela:

*Eu estava construindo uma casa. Era quadrada, negra, não muito grande, e eu podia movimentá-la para onde quisesse. Apareceu então um homem, e tentamos juntos fazer uma construção. A princípio, tinha a forma de um obelisco, e não conseguimos assentá-la, de modo que ficasse parada sem oscilar. Sua forma então se modificou: alargou-se embaixo e se transformou numa pirâmide. De repente, percebi que teria de afundar a minha casa na terra; para que a construção ficasse imóvel, segura e firmemente ligada à casa. Esta penetrou um pouco na terra, o que me deixou aliviada. Tentei então, junto com o homem, erguer a pirâmide. Olhando-nos, aproximamo-nos e nos abraçamos. Quando olhamos para a pirâmide, ela estava firme. Estava agora um pouco mais delgada e mais alta e esticava-se na direção do céu; estava transparente, e a luz do Sol se decompunha nela.*

O quadrado e o número quatro a ele associado estão relacionados desde tempos remotos com o princípio feminino.

Neste sonho, isso se acentua ainda mais pela cor da noite, o negro e a união com a terra. O sonho parece indicar que a sonhadora precisa ancorar firmemente na terra a casa de sua personalidade e da sua identidade feminina, para poder erguer de maneira firme e segura o seu "lado masculino" – sob a forma do obelisco fálico ou da pirâmide que aspira alcançar o céu. Fica bem evidente o modo como se dá essa união entre o feminino e o masculino, ou seja, através do abraço amoroso. Dificilmente encontramos um símbolo mais belo, mais simples e mais elementar do que este, no qual se cumpre o penoso caminho do herói e pelo qual vale a pena viver.

# NOTAS

1. Visto que os inúmeros mitos e narrativas sobre heróis são às vezes semelhantes em suas sequências exteriores, até nos mínimos detalhes, é plausível resumir seus motivos centrais e comuns numa história, para dessa forma poder apreender com maior clareza o modelo arquetípico básico do drama do herói. Em 1904, Frobenius, por exemplo, resumiu os mitos do deus solar e do herói solar com a denominação de "viagem marítima noturna" e de "mitos de dragões e baleias". Em 1909, Rank construiu uma "saga média", sobretudo do nascimento e infância do herói. Campbell, em 1978, esquematizou a viagem inteira do herói num diagrama circular, e Neumann, em 1949, representou estágios mitológicos típicos do caminho do herói relacionando-os com o desenvolvimento da consciência humana. Referindo-se a Neumann, Wilber escreveu também mais recentemente, 1984.

2. Jung, *Símbolos da Transformação*, 1972, § 553.

3. Jung, *Zur Psychologie des Kind-Archetyps*, § 289.

4. Schwab, pág. 113 s.

5. Sagrada Escritura, 2. Moisés 7:20.

6. *Ibidem*, 9:23.

7. *Ibidem,* 14:21.
8. *Ibidem,* 17:5-6.
9. Stern, fascículo 36, 1986.
10. Fischer, 1978, pág. 84.
11. Stemme, 1986, pág. 20.
12. Sagrada Escritura, Mateus 10:34.
13. *Ibidem,* Jó 19:29.
14. Fischer, 1978, pág. 83.
15. Epopeia de Gilgamesch, 1984.
16. Alfred Adler foi o primeiro psicólogo a indicar a estreita relação entre impotência e onipotência. Ele considerou a sede de poder e de reconhecimento do ser humano como uma tentativa de compensar sentimentos de inferioridade profundos. Na mais recente psicologia do narcisismo perscrutou-se e diferenciou-se mais pormenorizadamente essas conexões, e parece que os conhecimentos então adquiridos revolucionarão o pensamento psicanalítico. Leva-se em conta cada vez menos a dificuldade humana de lidar com seus instintos, atendendo-se cada vez mais às restrições, mágoas e humilhações sofridas pela criança em sua autoestima. Sobre as relações entre heroísmo e narcisismo comp. também W. Schmidbauer, 1981.
17. Miller, 1980.
18. Comp. sobretudo: Guggenbühl-Craig, 1983; Miller, 1979; Richter, 1976, e Schmidbauer, 1977.
19. Schmidbauer, 1977.
20. Beheim-Schwarzbach, 1973, pág. 86.
21. Jung, *Zur Psychologie westlicher und östlicher Religion,* 1971, § 140.
22. Fischer, 1978, pág. 86 s.
23. Grimal, 1967, vol. I, pág. 104.
24. Von Ranke-Graves, 1960, vol. I, pág. 118.
25 Jung, Cartas I, 1981, carta de 1.2.1945 a K. Mann, pág. 442.
26. Fischer, 1978, pág. 88 ss.
27. Comp. Meulenbelt, 1984, e para um aprofundamento: Chodorow, 1985, e Dinnerstein, 1979.
28. E. Neumann expôs aspectos fundamentais da relação entre o homem criativo e o feminino em: Neumann, 1959 e 1980.

# BIBLIOGRAFIA

BEHEIM-SCHWARZBACH, M.: *Rittersagen* [Lendas de Cavalaria], Viena, 1973.

CAMPBELL, J.: *Der Heros in tausend Gestalten*, Frankfurt/M, 1978. [*O Herói de Mil Faces*, Editora Pensamento, São Paulo, 1990.]

CHODOROW, N.: *Das Erbe der Mütter, Psychoanalyse und Soziologie der Geschlechter* [A Herança de Mãe. Psicanálise e Sociologia dos Sexos], Munique, 1985.

CLARUS, I.: *Ödipus und Odysseus* [Édipo e Odisseu], Öffingen, 1986.

DINNERSTEIN, D.: *Das Arrangement der Geschlechter* [A Ordem dos Sexos], Stuttgart, 1979.

FISCHER, H.: *Götter und Helden* [Deuses e Heróis], Eltville, 1978.

FROBENIUS, L.:*Das Zeitalter des Sonnengottes* [A Idade do Deus Sol], Berlim, 1904.

GILGAMESCH-EPOS [A Epopeia de Gilgamés], traduzido por Von A. Schott, Stuttgart, 1984.

GRIMAL, P. (org.): *Mythen der Völker*, vol. I [Mitos dos Povos], Frankfurt/M, 1967.

GUGGENBÜHL-CRAIG, A.: *Macht als Gefahr beim Helfer* [O Perigo do Poder para quem Ajuda], Basiléia, 1983.

JUNG, C. G.: *Symbole der Wandlung* [Símbolos de Transformação], Obras Completas, 5, Olten, 1972.

JUNG, C. G.: *Zur Psychologie des Kind-Archetyps* [A Psicologia do Arquétipo da Criança], Obras Completas 9/1, Olten, 1976.

JUNG, C. G.: *Zur Psychologie westlicher und östlicher Religion* [Da Psicologia de Religião Ocidental e Oriental], Obras Completas 11, Olten, 1971.

JUNG, C. G.: *Briefe* 1 [Cartas], Olten, 1981.

MEULENBELT, A: *Wie Schalen einer Zwiebel oder Wie wir zu Frauen und Männern gemacht werden* [Nós Descascamos a Cebola ou de como nos Transformamos em Homens e Mulheres], Munique, 1984.

MILLER, A.: *Das Drama des begabten Kindes* [O Drama da Criança Prodígio], Frankfurt/M, 1979.

MILLER, A.: *Am Anfang war Erziehung* [No início era a Educação], Frankfurt/M, 1980.

NEUMANN, E.: *Ursprungsgeschichte des Bewusstseins*, Zurique, 1949. [*História da Origem da Consciência*, Editora Cultrix, São Paulo, 1990.]

NEUMANN, E.: *Der schöpferische Mensch* [O Ser Humano Criativo], Zurique, 1959.

NEUMANN, E.: *Zur Psychologie des Weiblichen* [A Psicologia do Feminino], Munique, 1980.

RANK, O.: *Der Mythus von der Geburt des Helden* [O Mito do Nascimento do Herói], Viena, 1909.

RANKE-GRAVES, R. de: *Griechische Mythologie* [Mitologia Grega], vol. 1 e 2, Reinbek, 1960.

RICHTER, H. E.: *Flüchten oder Standhalten* [Fugir ou Lutar], Reinbek, 1976 (desc. Cap. 8, Quem escolhe uma atividade social, busca a comunicação e a própria realização pessoal).

SCHMIDBAUER, W.: *Die hilflosen Helfer* [O Ajudante Desamparado], Reinbek, 1977.

SCHMIDBAUER, W.: *Die Ohnmacht des Helden. Unser alltäglicher Narzissmus* [O Desamparo do Herói. Nosso Narcisismo Diário], Reinbek, 1981.

SCHWAB, G.: *Die schönsten Sagen des Klassischen Altertums* [As Mais Belas Lendas da Antiguidade Clássica], Gütersloh.

STEMME: O que podemos aprender com as vitórias de Boris, Revista Funk-Uhr, Hamburg, Caderno 31/86, p. 20.

WILBER, K.: *Halbzeit der Evolution* [A Meio Caminho da Evolução], Munique, 1984.

Lutz Müller

Impresso por :

gráfica e editora

Tel.:11 2769-9056